11-6-03 AH

D1371260

Antología

Letras Hispánicas

Luis Cernuda

Antología

Edición de José María Capote

UNDÉCIMA EDICIÓN

CATEDRA

LETRAS HISPANICAS

Ilustración de cubierta: José Miguel Ullán

© Angel María Yanguas Cernuda
© Ediciones Cátedra (Grupo Anaya, S. A.), 2001
Juan Ignacio Luca de Tena, 15.28027 Madrid
Depósito legal: M. 44.572-2001
ISBN: 84-376-0306-4
Printed in Spain
Impreso en Lavel, S. A.
Pol. Ind. Los Llanos, C/ Gran Canaria, 12
Humanes de Madrid (Madrid)

Introducción

I

La generación del 27

A más de cincuenta años del nacimiento de la denominada *generación del 27,* aún se sigue discutiendo si es o no ésta la nomenclatura apropiada bajo la que agrupar a los poetas que integran la misma. En verdad, han sido muchas las maneras con las que se ha querido nombrar a este grupo poético. Se le ha llamado generación de la Dictadura, por cuanto las obras más significativas de los comienzos de la misma surgieron precisamente en los años comprendidos entre 1923 y 1929, fechas que corresponden, como se sabe, a la dictadura del general Primo de Rivera.

También se la ha querido calificar como generación de los años 20, atendiendo a la década en que ésta germinó. Otros la han denominado generación de 1925, que es como el mismo Cernuda quiso rotularla[1]. Igualmente, se la ha llamado generación del 27, por cuanto fue aquel año cuando tuvo lugar el homenaje que los integrantes de la misma ofrecieron en conmemoración de Góngora, momento que sirvió para reunir en el Ateneo de Sevilla a los componentes más importantes de este grupo poético. Por último, otras denominaciones han sido las de

---

[1] Cito por Luis Cernuda, *Prosa completa,* edición a cargo de Derek Harris y Luis Maristany, Barcelona, Barral Editores, 1975, páginas 417-418.

generación de 1928; generación Guillén-Lorca, precisando con ello quiénes fueron sus integrantes de más edad; y, en fin, generación de la amistad, que es como, últimamente, la ha calificado José Luis Cano[2]. Puesto que la más extendida nomenclatura para designar a estos poetas es la de *generación del 27,* preferimos seguir utilizando ésta, y así lo haremos en adelante, con el ánimo de evitar confusiones e infructuosas polémicas terminológicas.

Que la del 27 fuese o no una generación es problema aparte que, por razones de limitación, no vamos a entrar a discutir aquí.

No obstante, las nociones que Pedro Salinas recogiera en su ya conocida obra[3] acerca de concepto «generación», se piensan hoy algo desfasadas, por lo que más valdría hablar de cada poeta por sí mismo, aun cuando un grupo de ellos pueda presentar ciertas afinidades, sean de orden estético, ideológico o sencillamente circunstancial, es decir, temporal, social, amistoso, etc.

Hablar de la generación del 27 implica tener un conocimiento aproximado de las corrientes literarias y, en general, artísticas, anteriores a ella misma. Por esta razón, vamos a trazar un rápido esquema de lo que fue la literatura a principios de siglo, sin el que no sería difícil comprender mucho de los caracteres generales de la poesía de tal generación.

El romanticismo español, mala copia del romanticismo francés, «Epidérmico y declamatorio, patriótico y sentimental», según dijo de él Octavio Paz, vino a renovarse con el impulso de la poesía modernista de Salvador Rueda, olvidada y desconocida ante el fuerte influjo que ejeció la definitiva introducción del modernismo en España, gracias a la personalidad de Rubén Darío. En la primera década de nuestro siglo, el modernismo, ten-

---

[2] José Luis Cano, *La poesía de la generación del 27,* Madrid, Ediciones Guadarrama, 1973, págs. 14-15.
[3] Pedro Salinas, *Literatura española siglo XX,* Madrid, Alianza Editorial, 1970, págs. 26-33.

dencia vital más que literaria o artística, estaba ya perfectamente asentado en el ámbito literario y cultural español [4]. En efecto, en el año 1907 surgieron obras importantes que no sólo aglutinaban los caracteres más significativos de la estética modernista, sino que, además, empezaban a causar ya cierta tendencia de corte marcadamente simbolista, cuya matriz se encuentra, en España, en la poesía de Gustavo Adolfo Bécquer, única figura del romanticismo hispánico que extendería su influjo literario, a través de los poetas modernistas, hasta los integrantes de la generación del 27. Obras como las *Soledades* de Antonio Machado, *Poesías* de Unamuno, *Baladas de primavera* de Juan Ramón Jiménez y *Alma y museo* de Manuel Machado, entre las más importantes, destacan ya esa doble vertiente, modernista y claramente simbolista a la vez, al tiempo que «parecen probar suficientemente esta condición de Bécquer como precursor y fundador de una tradición moderna Española» [5]. El homenaje que al poeta le rindieron los del 27, así como los constantes estudios críticos que en torno a su obra se llevaron a cabo, parecen indicar la certeza de tal afirmación.

Una de las figuras más relevantes de la literatura española de aquellas décadas fue Juan Ramón Jiménez, quien con la publicación en 1917 de su *Diario de un poeta recién casado* marca, juntamente con Ramón Gómez de la Serna y sus conocidas *Greguerías,* así como con la personalidad de Valle-Inclán, un nuevo periodo en el quehacer literario español. Juan Ramón va a ser, por su parte, el reconocido maestro de los poetas más importantes de la generación del 27, bien que el influjo de su poética purista sobre aquéllos no durara demasia-

---

[4] Para un acercamiento al estudio de tal tendencia, consultar Ricardo Gullón, *Direcciones del modernismo,* Madrid, Gredos, 1971. Así como la edición de Lily Litvak, *El modernismo,* Madrid, Taurus, serie El escritor y la crítica, 1975.

[5] Emilia de Zuleta, *Cinco poetas españoles,* Madrid, Gredos, 1971, página 13.

do, salvo en el caso de Jorge Guillén, quien, como se sabe, continuó ejercitándose en la línea de la poesía pura que Paul Valéry delimitara —gracias al anterior influjo sobre él de Baudelaire, Rimbaud y, más tarde, de Mallarmé—, y de cuyos cánones poéticos era aventajado seguidor, el más representativo en España, el mencionado poeta moguereño. Por otra parte, las reminiscencias de la tradición literaria del Siglo de Oro y del Barroco españoles, latentes en buena parte de la estética modernista, aparecen profundamente vivas y renovadas no sólo en el género que Gómez de la Serna inventó, sino también, y acaso de manera más intensa, en la conocida creación de Valle-Inclán: el esperpento, una de las formas literarias más interesantes de nuestra literatura contemporánea, y preludio tal vez del teatro de Samuel Bekett y del denominado teatro del absurdo.

Téngase en cuenta que esta toma de contacto con la literatura setecentista, sobre todo, que muchos de los escritores modernistas llevaron a cabo, iba a ser decisiva en la germinación de la poesía del 27, como más adelante veremos.

El interés, en fin, que los modernistas demostraron por la «coherencia del sentimiento» poético, así como su constante escudriñar en los moldes rítmicos y, en general, estéticos de los siglos literarios precedentes, fueron factores de suma importancia para el enriquecimiento de la poesía de nuestro siglo, ya que, a través de él, se disponían a legar a las generaciones posteriores un bagaje literario amplísimo con el que facilitar y ensanchar el difícil camino de la expresión escrita.

A raíz de la Primera Guerra Mundial, el panorama literario y artístico occidental iba a experimentar un profundo cambio, dado el clima de escepticismo existencial que se produjo, así como a causa del estado de destrucción en que quedó buena parte del continente europeo.

De otra parte, el modernismo se agotaba en sus propias filigranas, lo que produjo un crecimiento de una conciencia de renovación artística, cuya dinámica, como en estos casos siempre sucede, iba a correr por cuenta de los movimientos de vanguardia: el *ultraísmo, creacionismo, futurismo, cubismo, dadaísmo* y, algo después, el *surrealismo,* cuyas líneas generales siguen hoy vigentes.

Por cuanto al *ultraísmo,* no se sabe si de procedencia hispanoamericana o francesa, se trataba de «un auténtico vértigo de aspiraciones: en lo espacial, una perspectiva sintética en la cual se integran todas las formas posibles de dinamismo; en lo temporal, una exaltación triunfal del presente»[6]. Dicho movimiento llegó a España gracias al manifiesto de Guillermo de Torre, *El movimiento ultraísta español,* aparecido en 1911, si bien el auténtico manifiesto lo publicó en 1920 con el epígrafe de *Manifiesto vertical ultraísta,* donde se contienen los procedimientos y técnicas del mismo. El ultraísmo aglutinaba en su hacer, e incluso en sus propias concepciones teóricas, muchos de los elementos que componían los caracteres generales del cubismo, del futurismo y también del dadaísmo, y que a continuación van a explicarse. Pero antes veremos qué significó el *creacionismo* en la atmósfera artística hispánica de comienzos de siglo. Este movimiento adopta como emblema una metáfora de Vicente Huidobro: «Crear poesía como la naturaleza crea árboles.» Para conseguirlo, se tendía a la utilización de la metáfora, así como a la mayor precisión expresiva, gracias a que se evitaba el uso de las aposiciones explicativas, de los nexos innecesarios y de los adjetivos inútiles. Al igual que los demás movimientos de vanguardia, el creacionismo desechó los moldes poéticos tradicionales, tendiendo, por consiguiente, al verso libre y sin ningún tipo de rima, más cercano a las formas coloquiales y meditativas que a la musicalidad buscada en las composiciones de siglos anteriores.

Por su parte, *el futurismo,* del que el ultraísmo fue un calco aproximado, tendía a la apología del llamado

---

[6] Emilia de Zuleta, *ibídem,* pág. 24.

progreso industrial, centrando sus composiciones sobre todo tipo de máquinas: el automóvil, el aeroplano, el teléfono, la bicicleta, el tren, etc., así como sobre algunos de los efectos que de estos aparatos se derivaban, tales eran la velocidad o la ruptura de las líneas espaciales, entre otros. De dichas composiciones se derivaba igualmente cierto tipo de humor mundano entre lúdico, admirativo y desesperanzado.

El *cubismo,* cuyo más representativo creador fue Pablo Picasso, tendía, por su parte, a la deformación de las líneas simétricas, a la superposición de planos, a la simbología del color y, en suma, a la creación de una realidad diferente, surgida de la descomposición formal de los elementos externos al artista, como manifestación quizá de la caótica desintegración en la que el mundo occidental se encontraba. Tendencia más pictórica que literaria, también encontró eco en ciertas zonas de la lírica europea, siendo sus más genuinos representantes poetas como Apollinaire, Blaise Cendrars y también Pierre Reverdy, en Francia, o Luis Cernuda, en algunas composiciones de sus *Primeras poesías,* entre otros, en España.

En cuanto al *dadaísmo,* movimiento precursor del surrealismo, fue una tendencia literaria de escasa duración formulada por Tristan Tzara, cuyo *Manifiesto dadaísta* fue publicado en 1918. Se trataba en dicho movimiento de imitar el lenguaje infantil, llevando a cabo composiciones carentes de toda racionalidad lógica y literaria, tal que si hubiesen sido escritas por mano de un niño, presentando así poemas sin siquiera una disposición formal o versicular tradicional, y llegando, por consiguiente, a una absoluta distorsión, tanto literaria como caligráfica, e incluso arquitectónica o distributiva.

Por último, el *surrealismo,* encabezado por André Breton, vino a culminar y a hacinar todas las anteriores manifestaciones artísticas de las vanguardias europeas. Entre sus logros fundamentales hay que subrayar el impulso que dio al interés por la libertad creativa, basada, esencialmente, en el denominado *automatismo psíquico puro* o escritura automática, si bien la formulación práctica de los mismos se presentaba poco menos que utópica, ya que no era ni es posible crear un tipo de escritura en la que no se perciba el más mínimo rescoldo de racionalidad. Movimiento de carácter profundamente romántico por sus aspiraciones, el surrealismo, cuyo manifiesto publicó Breton en 1924, pretendió abarcar todos los aspectos de la vida, centrándose, especialmente, en aspiraciones de carácter político, por lo que debilitó gran parte de su empuje artístico, cosa que no ocurrió en el surrealismo español, más creativo y racional que el francés. El gusto por lo exótico y maravilloso, la integración de las entonces recientes teorías freudianas al quehacer artístico, la profundización en el subconsciente a través de lo onírico, el espíritu de investigación y de aventura en las parcelas más oscuras del ser humano y de su entorno, la tendencia hacia lo misterioso, la asociación irracional de los aspectos más dispares de una realidad cualquiera, el interés por la enumeración disparatada, la exaltación del amor y del erotismo, etc., son, entre otros muchos, los aspectos fundamentales de este movimiento, vivo todavía hoy en muchas tendencias de la literatura y el arte. Gracias a las traducciones que por entonces se hicieron de autores franceses como Rimbaud, Lautréamont, Reverdy y otros, así como a la conferencia que Breton dio en el Ateneo de Barcelona, a la traducción que de su *Manifiesto surrealista* se hizo en 1925, a la aparición en revistas de artículos y exposiciones que versaban sobre tal corriente, el estreno de obras teatrales de marcado cariz surrealista, a las actividades que hombres como Dalí, Buñuel y Lorca llevaron a cabo en la Residencia de Estudiantes, etc. El surrealismo llegó a España en 1926, aproximadamente, perdurando en la esencia de sus diversas manifestaciones artísticas hasta más o menos el año 1936, fecha en que la guerra civil dispersaría a casi todos sus intelectuales y artistas, deshaciéndose así la unidad de logros y tendencias que hasta entonces habían venido presentando sus diversas producciones.

Hasta aquí, el esbozo general de la literatura y el arte anteriores a la constitución de la generación del 27 como tal. Pero, ¿qué razones produjeron el nacimiento de la misma? ¿En qué circunstancia tuvo lugar? ¿Cómo se desarrolló ésta? ¿Qué significación, en fin, alcanzó dicha generación en el panorama literario español, desde su germinación hasta nuestros días? Vayamos respondiendo estas cuestiones por partes.

En el año 1927 se celebraba, como ya se ha dicho, el tercer centenario de la muerte de Góngora. Un grupo de jóvenes poetas es invitado por el Ateneo de Sevilla, gracias a la mediación y coordinación de Ignacio Sánchez Mejías, para ofrecer conferencias y recitales en memoria del poeta de Córdoba. Allí están Dámaso Alonso, Gerardo Diego, Federico García Lorca, Rafael Alberti, Luis Cernuda (que asiste como mero oyente), Jorge Guillén, Chabás, José Bergamín, Manuel Altolaguirre..., casi todos los componentes más señalados del grupo, además de algunos de los integrantes «menores»; que o bien participan con sus comentarios o poemas, o bien se hacen eco de aquel acto, fuese con su presencia o fuese, como en el caso de Emilio Prados, de José María de Cossío y de otros tantos, con sus colaboraciones técnicas, con sus recopilaciones o con sus actividades difusoras de todo lo que allí se dijo, fruto de las cuales fue la tirada de la ya existente revista *Litoral*, en octubre de ese mismo año, que gracias a Altolaguirre y Prados, pudo recopilar en sus páginas buena parte de las actividades que en Sevilla se habían llevado a cabo con tal motivo. Hilo conductor de éstas fue el interés común por enfrentarse a la crítica tradicional, que veía en el poeta cordobés al más representativo hacedor de la complicación y de la oscuridad literarias. Los del 27 quisieron demostrar lo contrario, señalando a Góngora como poeta más significativo de la pureza poética —no se olvide que la preceptiva purista está en auge por aquellos años, debido al influjo de Valéry y a la hegemonía poética nacional de Juan Ramón Jiménez, su seguidor en la literatura española de aquellos tiempos—, y lo consiguieron. Los artículos, ensayos y poemas recogidos en aquel número de *Litoral* demostraron, intrínsecamente, la tendencia de este grupo hacia una estética fuera de toda retórica, depurada hasta conseguir lo esencial y estrictamente necesario a la expresión poética, evitando caer, de esta forma, en lo vulgar de nuestro romanticismo, en lo aparentemente fácil y suntuosamente banal de nuestro modernismo, en lo azaroso y confuso de los movimientos de vanguardia, en lo académicamente aceptado desde siempre. Con este impulso conjunto, se pretendía también una revisión de la literatura clásica española, desechada y olvidada por la crítica oficial.

Aquel año de 1927 no fue más que una fecha como tantas otras, si tenemos en cuenta que ya en 1920 Lorca estrenó en Madrid su obra dramática *El maleficio de la mariposa;* que, en el mismo año, Gerardo Diego publicó su primer libro de poemas con el título de *Romancero de la novia;* que en 1921, otra vez Lorca, publica ahora su *Libro de poemas;* que también Dámaso Alonso saca a la luz sus *Poemas puros, poemillas de la ciudad;* que Salinas da a conocer, en 1923, su libro *Presagios;* que *Marinero en tierra,* de Alberti, se publica en 1924; que un año después surge *Tiempo,* de Emilio Prados; que en 1926, Manuel Altolaguirre descubre *Las islas invitadas;* que en 1927, por fin, se publica *Perfil del aire,* de Cernuda... Una fecha más porque ya habían nacido algunas de las obras juveniles de aquellos poetas, reunidos entonces en Sevilla a causa de una circunstancia sin aparente importancia. Sin embargo, aquélla no fue una fecha más, por cuanto sirvió no sólo de trampolín teórico para casi todos ellos, sino que también fue ocasión de estrechamiento amistoso entre éstos y motivo de concentración de gran parte de los intereses artísticos que, a cada uno por separado, les venían ocupando en su labor creadora o preocupando en sus análisis literarios.

Puede decirse, por consiguiente, que fue realmente en 1927 cuando estos poetas tomaron conciencia no de que constituían un grupo de fines literarios exclusivos y aunadores, sino que existían, dispersos por la geografía nacional, hombres que deseaban expresarse con ánimo renovado, de forma diferente a como se había venido haciendo hasta los comienzos del siglo. Como muy acertadamente señaló José Luis Cano, aun a pesar de «su apariencia de generación vanguardista y revolucionaria, aquellos poetas no venían a romper ninguna tradición, sino a continuarla, como ya demostró Dámaso Alonso. Su poesía —se refiere, claro, a la de la generación, en general— se inserta en una corriente lírica hispana que viene de muy atrás y en la que son hitos importantes el Cancionero popular anónimo, Garcilaso y Lope, San Juan y Fray Luis, Góngora y Quevedo, Bécquer, Juan Ramón y Antonio Machado» [7].

Dije anteriormente que Juan Ramón Jiménez fue el maestro de aquellos jóvenes poetas en sus momentos iniciales. Pues bien, esto es cierto en la medida en que perseguían, al principio, ese afán de pureza poética al que se ha hecho referencia. El acceso a Paul Valéry era entonces dificultoso, ya que no había traducciones al castellano de sus obras más representativas, por lo que sólo aquellos que tuvieran conocimientos del francés podían conectar con piezas tan relevantes de la estética purista como lo eran *Le cimetière marin* o *La jeune Parque*. A falta, pues, de refundiciones de éstas al castellano, y porque ciertamente Juan Ramón Jiménez se había ganado con sobrados méritos la atención de críticos y aficionados, no había otra solución que oír y seguir sus enseñanzas, si se quería aprender la técnica de la poesía pura y conseguir los ideales poéticos propuestos por cada uno, separadamente, de aquellos principiantes poetas. Pero poco habría de durarle a Juan Ramón el ejercicio de aquella cátedra poética. En efecto, a partir de la introducción del surrealismo en España, así como desde el momento en que en gran parte de los del 27 empezaron a tomar conciencia, tanto del hastío que les producían aquellos gélidos y marmó-

---

[7] José Luis Cano, *op. cit.*, pág. 15.

reos moldes de la poesía pura como de los acontecimientos políticos y sociales que venían ocupando la realidad histórica de la España de aquellos años —estamos a finales de la década de los 20, bajo la dictadura de Primo de Rivera—, muchos de aquellos jóvenes poetas empezaron a preocuparse por su entidad de humanos en el mundo, por lo que tendieron hacia una expresión más viva y cálida, más cercana a sus experiencias reales y cotidianas, más sincera y comunicativa, más social también y de incitación a la subversión política, a lo que colaboró, sin duda, el ánimo decepcionado que, casi en toda Europa, se venía arrastrando a partir de la culminación de la Primera Guerra Mundial, así como la extendida concepción del hombre y del mundo que, a partir de Schopenhauer, Kierkegaard y Heidegger, había venido difundiendo la filosofía existencialista, cuyos ecos fueron recogidos y ampliamente revertidos en nuestra cultura por Miguel de Unamuno. De este modo, buena parte de los poetas del 27 fueron alejándose de aquella poesía intelectual, produciéndose así una ruptura con aquél que al comienzo les guiara. Únicamente Jorge Guillén permaneció fiel a aquella tendencia, fruto de la cual fue su obra maestra *Cántico,* cuya primera versión fue publicada en 1928, año en el que nace también *Ámbito,* primera manifestación poética de Vicente Aleixandre.

Así pues, puede decirse que, a partir de 1928, la mayoría de los hombres de la generación han abandonado no el interés purista, de acrisolada depuración de los elementos poéticos, sino más bien los supuestos teóricos y prácticos de la denominada poesía pura.

Desde ese momento, aproximadamente, los horizontes poéticos se amplían y ramifican, dando así entrada al ideario surrealista, a la poesía de corte clasicista y, algo después, a la que conocemos con el nombre de poesía comprometida, cuyo más importante teorizador fue Jean-Paul Sartre[8], siendo su más directo represen-

---

[8] Jean-Paul Sartre, *¿Qué es la literatura?,* Buenos Aires, Losada, 1969.

tante, en la literatura nacional de aquel momento, el poeta gaditano Rafael Alberti. La esperada institución de la república en España en el año 1931, fue una circunstancia propicia, juntamente con el clima de libertad que habían creado los surrealistas franceses, para el crecimiento de este tipo de poesía, más social y panfletaria que eminentemente artística o literaria, a cuyo credo y activismo, profundamente revolucionarios, se convirtieron y entregaron poetas y artistas, no siempre tales, de todos los rincones del país.

Entre 1928 y 1936, aproximadamente, son publicadas las principales obras surrealistas de los poetas del 27[9], fechas éstas también en las que se encuadran el nacimiento, fugaz desarrollo y muchas veces precipitada expiración de los principales órganos de difusión del grupo, entre los que son de destacar, además de la ya mencionada revista *Litoral*, cuya existencia se prolongó desde 1926 hasta 1929, consiguiendo tirar nueve números, la *Revista de Occidente*, de importancia decisiva para los poetas del 27, así como *La Gaceta Literaria, Carmen*, bajo la dirección de Gerardo Diego, *Cruz y Raya, Caballo verde para la poesía*, dirigida por la alentadora presencia de Pablo Neruda y editada por Concha Méndez y Manuel Altolaguirre, *Mediodía, Prosa y Verso, Héroe*, fundada por Concha Méndez y Manuel Altolaguirre, *Octubre: órgano de la asociación de escritores y artistas revolucionarios para la defensa de la cultura*, dirigida por rafael Alberti, *1916*, fundada por Manuel Altolaguirre, *Hora de España*, en fin, entre las más representativas de aquellos ocho años a los que nos venimos refiriendo.

Con la creciente politización del pueblo español, los continuos enfrentamientos entre tendencias ideológicas opuestas y el estallido de la guerra civil en 1936, iba a producirse la desintegración y definitiva separa-

---

[9] Ver la relación de obras surrealistas españolas en mi libro, *El surrealismo en la poesía de Luis Cernuda*, Sevilla, Publicaciones de la Universidad de Sevilla, 1976, págs. 38-39.

ción del grupo poético del 27, muchos de cuyos miembros se vieron en la obligación de exiliarse, circunstancia que, juntamente con la institucionalización de la dictadura del general Franco en 1939, determinaría una variada trayectoria poética, tanto en el caso de aquellos que salieron del país, como de aquellos otros pocos que se quedaron.

En cuanto a la significación de la generación del 27 en el panorama literario posterior a 1939, ha de señalarse su constante e inextinto influjo, dado el relieve sobresaliente de la misma, tanto por la definitiva y magistral renovación a que sometieron la poesía, como por la revisión que hicieron de la literatura tradicional hispánica, y por los logros conseguidos por cada uno de sus integrantes. Poetas como Jaime Gil de Biedma, José Ángel Valente, José Hierro, Francisco Brines, Juan Gil-Albert —poeta éste más perteneciente a la generación del 27 que a la lírica más reciente—, por nombrar algunos de los más conocidos en la poesía actual española, que hicieron de los poetas del 27, Cernuda, sobre todo, sus guías iniciales y las fuentes de las que aún continúan en buena medida nutriéndose. Cierto es que, al mismo tiempo, surgieron nuevos —o más bien renovados— modos de expresión, como puede suceder en el caso de Pedro Gimferrer, de Félix de Azúa, de Félix Grande y otros, en todos ellos son siempre rastreables ciertos dejes e influencias de los logros poéticos de aquella generación. Por consiguiente, la vigencia de los poetas del 27 es indudable, acaso porque constituyen uno de los grupos poéticos más clásicos y brillantes de nuestra literatura contemporánea.

II

Notas biográficas sobre Luis Cernuda:
Carácter y personalidad

El 21 de septiembre de 1902, nace Luis Cernuda Bidon en Sevilla.

De padre portorriqueño y madre sevillana, el recién nacido venía a ser el tercer y último hijo de una familia burguesa, en la que el sistema de valores tradicionalmente aceptado había encontrado un fuerte arraigo para su cimentación.

Su padre, Bernardo Cernuda Bousa, comandante del Regimiento de Ingenieros, poseía un rígido carácter, apto para mantener una férrea disciplina en el hogar, atmósfera que provocó en el joven Luis una constante introversión, que le llevaría a pasar por la infancia con timidez, austeridad y una innata sensibilidad a flor de piel. Al mantenimiento de aquel ambiente colaboraban en cierta medida su madre, Amparo Bidon y Cuéllar, y sus dos hermanas, Amparo y Ana, quienes quedan esencialmente delineadas en el poema «La familia», que en esta antología se incluye, y cuya detenida lectura es aconsejable para una mayor comprensión del aire que pesó sobre la infancia y la adolescencia del poeta.

Sus diez primeros años transcurren, pues, para él en una constante soledad, cuyo más importante quehacer lo constituía la atenta observación del mundo exterior y, acaso también, por qué no, la de sí mismo, niño quizá maravillado ante su propio crecimiento en una realidad que le hacía sentirse estrechamente encadenado a sus más íntimos y ocultos sentidos, por oposición tal vez al entorno al que tan extraño se sentía. Diez primeros años en los que germina su mundo interno —inconscientemente, por supuesto, todavía— y cuya lenta evolución encuentra, desde sus propias raíces, un trágico y doloroso enfrentamiento interno con la realidad exterior que le fue dada de antemano, en contra de la cual, el joven Luis iba a ir replegándose hacia sí mismo, hasta llegar a configurar su vida toda; espejo de la misma es la que hoy conocemos como *La Realidad y el Deseo*, su obra poética.

Un hecho importante de esta primera década es el encuentro de Luis Cernuda con la poesía de Bécquer, en el año 1911, con motivo del traslado de los restos mortales del creador de las *Rimas* desde Madrid a Sevilla.

Cernuda —tiene entonces nueve años— pregunta quién era aquel hombre del que tanto se hablaba y, como contestación, encuentra tres tomos del mismo, prestados por sus primas, Luisa y Brígida de la Sota, a sus hermanas, Amparo y Ana. La impresión que, al parecer, le provocó la furtiva lectura de los mismos fue honda, como puede deducirse de ciertos pasajes de su obra *Ocnos*, a la que remitimos. Queda claro, pues, que, como Jenaro Taléns ha señalado, en sus años iniciales «el poeta fue sobre todo un solitario, un ser aislado en medio de los hombres de los que se sentía separado por su excesiva timidez y un cierto despego» [10].

Algunos años más tarde la familia Cernuda cambia de domicilio, se traslada de la calle Conde de Tójar (hoy Acetres), donde nació el poeta, al Cuartel de Ingenieros del Prado. En este período Cernuda tuvo experiencias fundamentales para su vida. La soledad le siguió acompañando, y su espíritu ya adolescente va percibiendo con más fuerza la belleza y magia del mundo: «Hacía los catorce —escribe el poeta—, y conviene señalar la coincidencia con el despertar sexual de la pubertad, hice la tentativa primera de escribir versos.» [11]. Tentativa que, como continúa diciendo más adelante, «suscitaba en mí rubor incontrolable, aunque me escondiera para hacerlo

---

[10] Jenaro Taléns, *El espacio y las máscaras. Introducción a la lectura de Cernuda*, Barcelona, Anagrama, 1975, pág. 39.
[11] Luis Cernuda, *Prosa completa*, pág. 899.

y nadie en torno mío tuvo noticias de tales intentos»[12]. Cernuda, adolescente y semilla aún de poeta, está estudiando por entonces el bachillerato en el colegio de los Escolapios de Sevilla.

En 1919 ingresa en la Facultad de Filosofía y Letras hispalense donde comienza a estudiar Derecho. En aquel año la familia vive en la calle Aire. Conoce ya en primero al recién llegado a la cátedra de Lengua y Literatura Españolas, Pedro Salinas, profesor suyo en dicho curso, con quien traba amistad gracias a una publicación que hizo Cernuda en una revista universitaria, y que Salinas leyó, así como por la mediación de algunos amigos comunes. Dicho encuentro tuvo lugar casi a finales de curso. Cernuda visita en varias ocasiones el domicilio del profesor y poeta, y éste, a su vez, le proporciona ciertas indicaciones literarias. El joven Luis empieza a leer los clásicos españoles, tras de los que entra en contacto con la poesía finisecular francesa: Baudelaire, Rimbaud, Mallarmé, Reverdy... Algo después lee a André Gide, con cuya lectura —escribe— «me abría el camino para resolver, o para reconciliarme, con un problema vital mío decisivo»[13]: su inclinación amorosa o, más bien, su personal manera de ser y de sentir.

En 1920 muere su padre, y durante los dos años siguientes continúa estudiando en la universidad sin llegar a destacar como buen alumno por su carácter tímido y poco desenvuelto.

En 1923 ingresa en el servicio militar, siendo destinado al Regimiento de Caballería de su ciudad natal, donde

> todas las tardes salía a caballo con los otros reclutas, como parte de la instrucción, por los alrededores de Sevilla; una de aquellas tardes —continúa escribiendo—, sin transición previa, las cosas se me aparecieron como si las viera por vez primera (...) y esa visión inusitada, al mismo tiempo, provocaba en mí la urgencia expresiva,

---

[12] Luis Cernuda, *ibídem,* pág. 899.
[13] Luis Cernuda, *ibídem,* pág. 901.

la urgencia de decir dicha experiencia. Así nació entonces toda una serie de versos, de los cuales ninguno sobrevive[14].

En 1924 termina el servicio en el ejército y comienza a escribir los pequeños poemas de su primer libro, *Perfil del aire,* cuya génesis y determinaciones estudiaremos en el siguiente apartado. Por esta época, igualmente, nace en el poeta principiante un gran interés por el bien vestir, incipiente dandismo que le atraería ya de por vida, siendo más que un atractivo, una barrera de aislamiento, una forma de mantener alejada a la gente y de sentirse más seguro y realizado en su pristina fragilidad espiritual.

Conoce, en 1925, a Juan Ramón Jiménez, con quien entabla relación. Al año siguiente —1926— termina la carrera. Una gran inseguridad ante el futuro profesional le asalta y, al mismo tiempo, comienza a eclipsarse su intento de hacer oposiciones a secretario de Ayuntamiento.

En tal estado de indecisión llega el año 1927, fecha importante para la afianzación poética de Cernuda, y no sólo para él, sino para todos los demás integrantes de la generación, según se ha dicho anteriormente. El poeta conoce a Lorca, escribiendo de él en su «Recuerdo» de 1938: «Algo que yo apenas conocía o que no quería reconocer comenzó a unirnos»[15]. También conoce a Vicente Aleixandre con quien habrá de trabar posteriormente una duradera amistad.

Cernuda continúa sin saber a qué dedicarse para ganar algo de dinero, cuando Salinas, en 1928, le facilita un lectorado en la Universidad de Toulouse. La decisión de abandonar Sevilla se la provoca no sólo la muerte de su madre, en aquel mismo año, sino el que «estaba harto de mi ciudad nativa»[16]. Así pues, dados sus escasos ingresos económicos, vende la casa de la calle Aire, pasa

---

[14] Luis Cernuda, *ibídem,* pág. 899.
[15] Luis Cernuda, *ibídem,* pág. 1335.
[16] Luis Cernuda, *ibídem,* pág. 906.

en Málaga algunos días, desde donde parte hacia Madrid y de allí a Toulouse, ciudad en la que permanece dando clases hasta 1929. Ese mismo año vuelve a Madrid, momento en que se encuentra de nuevo con la necesidad acuciante de ganarse la vida, no sin cierto pavor ante las condiciones y limitaciones: «España —añade— me aparecía como un país decrépito y en descomposición; todo en él me mortificaba e irritaba»[17]. Consigue, no obstante, un trabajo cómodo y bien remunerado en la librería de León Sánchez Cuesta.

Colabora, en 1933, con la revista *Héroe,* en cuya colección publica *El joven marino,* así como con la revista *Octubre: órgano de la asociación de escritores y artistas revolucionarios para la defensa de la cultura,* a cuyas páginas envía poemas y escritos en prosa de marcado matiz político, poco frecuente en la producción cernudiana. Recordemos que corren años de ebullición política y que, por aquellos momentos, tuvo lugar la conocida polémica entre escritores que defendían una estética purista, según los principios poéticos de Paul Valéry, y escritores que tendían hacia un arte más comprometido con la cotidianeidad humana en el sentido social, político e histórico, cuyo representante más genuino y más activo luchador fue Rafael Alberti, creador de la revista *Octubre* y otras similares.

Asimismo, hay que tener en cuenta la militancia política de Cernuda por aquellos años en el partido comunista, bien que poco le durara su estancia en el mismo, dadas sus creencias y peculiar carácter.

Viaja en 1934 por España, en función de conferenciante del Museo del Pueblo del Patronato de Misiones Pedagógicas y Culturales, entidad creada por el gobierno de la república, y colabora con el *Heraldo de Madrid.* «Ya entonces —escribió de él Adriano del Valle— usaba monóculo»[18]. En 1935 se fecha uno de los hallaz-

---

[17] Luis Cernuda, *ibídem,* pág. 911.
[18] Adriano del Valle, «Oscura noticia de Luis Cernuda», en *Cántico,* 1955, núms. 9-10, págs. 11-13.

gos poéticos más importantes de su carrera literaria: Friedrich Hölderlin, a quien lee con entusiasmo y atención, gracias a la mediación del poeta alemán Hans Gebser, que le ayuda a conocerlo en su propia lengua.

El interés de Cernuda por Hölderlin es tan vivo, que lo traduce —magistralmente, por cierto— en algunos de sus poemas, publicados posteriormente en la revista *Cruz y Raya* a principios de 1936, año, igualmente, en el que José Bergamín publica en la misma revista todos los libros escritos hasta entonces por Cernuda, quien los reagrupa bajo el ya conocido título de *La Realidad y el Deseo*. Con motivo de tal publicación, García Lorca le dedica un homenaje, al que asisten los representantes más significativos de la susodicha generación. Se podría decir que este cónclave amistoso fue como una recepción de despedida al poeta sevillano, quien, a partir, precisamente, de ese mismo año, va a comenzar lo que podríamos denominar la segunda etapa de su vida, tanto humana como literaria: el exilio sin retorno, «en ese movimiento precipitado hacia ninguna parte, exiliado hasta de su deseo»[19].

En efecto, en aquel año de 1936 marcha a París como secretario de Álvaro de Albornoz, que desempeñaba por entonces el cargo de embajador en la capital francesa. Parte en el mes de julio y vuelve en el mes de septiembre a Madrid, donde permanece hasta principios de 1937, momento en que se traslada a Valencia a causa de la ya ebullescente guerra civil. Allí funda, en unión de Rafael Alberti, Juan Gil-Albert y otros poetas, la revista *Hora de España*. En febrero de 1938 sale del país con Bernabé Fernández-Canivell, a quien deja en París, continuando él hacia Inglaterra, lo que consiguió gracias a la intervención de su amigo Stanley Richardson, quien le procuró un pasaporte eventual con la excusa de enviar a Cernuda a Gran Bretaña para que diera allí

---

[19] Maya Schärer, *Luis Cernuda y el reflejo,* del compendio *Luis Cernuda,* edición de Derek Harris, Madrid, Taurus, serie El escritor y la crítica, 1977, pág. 317.

unas conferencias. El poeta sevillano salía con el propósito de nunca más volver a pisar tierras españolas, lo que llevó a término, pues finalizado el tal ciclo de conferencias, y estando de vuelta en París, decidió no retornar a la península, dado el cariz que los acontecimientos bélicos habían adquirido.

> Fue aquella —escribe— una de las épocas más miserables de mi vida: sin recursos, como dije, sin trabajo, sólo la compañía y la ayuda de otros amigos y conocidos cuya situación era semejante a la mía, me permitieron esperar y salir adelante[20].

Y esperando, llegó el mes de septiembre de ese mismo año —1938—, en que, una vez más Stanley Richardson le proporciona una ayudantía académica en Cranleigh School, en Surrey, Inglaterra, donde estuvo como profesor hasta enero de 1939, pasando, posteriormente a Glasgow y, más tarde, a Cambridge, ya en 1943. Es una etapa ésta para Cernuda de constantes crisis, como puede apreciarse en el tono de su libro *Las nubes,* que más adelante comentaremos. Durante su estancia en Inglaterra toma contacto con la poesía y la crítica nativas, una de sus influencias más determinantes, lo que va a proporcionarle, junto con la influencia de Hölderlin, la inserción suya en la tradición clásica española, las aportaciones que recogió de la poesía simbolista francesa, del surrealismo e incluso de los clásicos greco-latinos, el acerbo literario que constituye su madurez poética —alcanzada ya con su libro *Invocaciones,* según veremos—, las fuentes, en fin, de las que se nutrirá hasta el final de sus días. Lee también a Kierkegaard y a Schopenhauer, así como algunos versículos de la Biblia todos los días. Asiste al cine con frecuencia —una de sus aficiones más destacables, ya desde joven— y va a numerosos conciertos:

«La música —dice— ha sido para mí, aún más quizá que otras de las artes, la que prefiero después de la poe-

---

[20] Luis Cernuda, *Prosa completa,* pág. 920.

sía»[21]. Mozart le apasiona. Estudia, igualmente, con cierta dedicación a Marx. Cernuda está en plena actividad, pese a sus constantes desmoronamientos espirituales.

En 1945 abandona Cambridge para pasar a Londres, no sin cierta nostalgia por la ciudad que abandonaba. Pasa en la capital inglesa dos años y, en marzo de 1947, recibe una carta de Concha de Albornoz, su amiga, desde Estados Unidos, ofreciéndole un puesto como profesor en Mount Holyoke, Mass. En septiembre parte hacia allá, donde pasa los años 1947 y 1948. Su situación económica parece estabilizarse algo, pero el desagrado con que se enfrentaba a su ya larga labor académica le hace, en el verano de 1949, ir a México, país que le lleva a rememorar con intensidad su tierra nativa.

> Seguí volviendo a México los veranos sucesivos, y durante las vacaciones de 1951, que había alargado pidiendo medio año de permiso a las autoridades de Mount Holyoke, conocí a X, ocasión de los *Poemas para un cuerpo,* que entonces comencé a escribir. Dados los años que ya tenía yo, no dejo de comprender que mi situación de viejo enamorado conllevaba algún ridículo[22].

Cernuda se enamoró de X —dejemos así la incógnita— pese a contar entonces con 49 años. Era acaso la primera vez en su vida que tal sentimiento le asaltaba con tanta fuerza. No obstante, hubo de volver pronto a Mount Holyoke, ya que sus vacaciones se le acababan, por lo que su retorno allí se le hizo doblemente angustioso. Por eso mismo, en noviembre de 1952 se trasladó definitivamente a México, viviendo en casa de Concha Méndez, separada ya del que fue su esposo, Manuel Altolaguirre, quien residía allí desde algún tiempo atrás.

Aún habría de volver, en 1960, a los Estados Unidos, otra vez como profesor y conferenciante, durante tres años, en esta ocasión en Los Angeles. En 1963 regresó

---

21 Luis Cernuda, *ibídem,* pág. 925.
22 Luis Cernuda, *ibídem,* pág. 933.

a México, donde amargado, desilusionado y solo, solo como siempre lo había estado, murió, inesperadamente, una mañana de noviembre, ese mismo año de 1963.

Estamos, pues, frente a un hombre de características personales bastante peculiares. Tímido, hipersensible, observador agudo, exquisito, a ojos de muchos que le conocieron «raro», solitario de por vida, hombre, en fin, de difícil trato, pese a la lealtad que demostró siempre para con sus amigos más cercanos, aun cuando su extrema fragilidad de persona bastante susceptible le llevara a juicios y críticas respecto a algunos de ellos extremadamente destructivos, e incluso injustos, como sucedió en el caso de Pedro Salinas, a quien dirige su poema «Malentendu».

«Poeta amargo, desolador»[23], tal era el retrato que Vicente Aleixandre dibujó de él:

> Tenía el pelo negro, de un negro definitivo, partido en raya, con hebra suelta y lisa sobre su cabeza. La tez, pálida; escueta la cara, con el pómulo insinuado bajo la piel andaluza. Dominaban allí unos ojos oscuros y un poco retrasados, tan pronto fijos, tan pronto vagos y renunciadores. Le vi con ellos recorrer las cosas, como si las estuviese viendo pasar en una corriente, mientras oía su voz, con dejo sevillano serio, modular unas breves palabras amistosas[24].

Poeta de un sur imposible[25], la obra de Luis Cernuda, imagen reflejada de su propia persona, es una de las manifestaciones poéticas más importantes y hondas de la literatura española contemporánea.

---

[23] Joaquín Romero Morube, *Responso difícil por un poeta sevillano,* del compendio citado, pág. 30.

[24] Vicente Aleixandre, *Luis Cernuda, ibídem,* pág. 15.

[25] José Antonio Muñoz Rojas, *Recuerdo de Luis Cernuda, ibídem,* página 19.

III

Desarrollo de la poesía cernudiana; cronología de su obra.

La poesía cernudiana comienza a tomar cuerpo a partir de aquella decisiva experiencia para el poeta durante su servicio militar, de la que nacerán «una serie de versos, de los cuales ninguno sobrevive»[26]. Tras de esa ruptura con los primeros esbozos poéticos, que el autor llevó a cabo durante su estancia en el ejército, va a empezar su verdadera producción poética. En efecto, es en 1924 cuando empieza Cernuda a escribir los poemas que integran su primera obra, *Perfil del aire*[27], publicada en *Litoral* por Altolaguirre y Prados en 1927. Hay que señalar que nueve de los veintitrés poemas que conforman este libro, fueron publicados con anterioridad, en 1925, en la *Revista de Occidente,* gracias a la mediación de Pedro Salinas. Cernuda se refiere así a su libro.

> *Perfil del aire* es el libro de un adolescente, aún más adolescente de lo que lo era mi edad al componerlo, lleno de afanes no del todo conscientes, melancólico (...), pero, al mismo tiempo, libro de un poeta que, desde el punto de vista de la expresión, sabía más o menos adónde iba[28].

La crítica, adversa e incomprensiva ante la aparición del libro, señaló, desacertadamente, que venía a ser un plagio de la poesía de Jorge Guillén, lo que produjo el natural enfado y mayor repliegue hacia sí mismo por parte de Cernuda, quien se había inspirado en la poesía

---

[26] Luis Cernuda, *Prosa completa,* pág. 899.
[27] Para un estudio más detallado de esta obra, consultar mi libro *El período sevillano de Luis Cernuda.* Madrid. Gredos, 1971.
[28] Luis Cernuda, *Prosa completa,* pág. 904.

de Pierre Reverdy y de Mallarmé, así como en algunas parcelas de la lírica clásica castellana y en la atmósfera común de la poesía de ese momento. Ello dio lugar, en el año 1948, a que el poeta escribiera su apología y crítica[29], tanto de esta primera obra suya como del panorama crítico-literario oficial de su tiempo, cuya lectura se aconseja para comprender por completo el entramado es esta cuestión a que nos venimos refiriendo. *Perfil de aire* —título que después Cernuda cambió por el de *Primeras poesías,* ya que el primero le parecía demasiado pretencioso—, delicado esbozo de un Cernuda inseguro y frágil deseoso de vida, pero encerrado entre *Los muros nada más,* contiene, como semillas ocultas bajo la tierra, muchas de las características y temas que se van a desarrollar a lo largo de toda su producción poética, según se verá más adelante. Como J. M. Aguirre ha señalado, «el mayor acierto de este libro hay que buscarlo en su efecto total, en su inequívoca y general vaguedad de concepto y de emoción. De concepto, porque el deseo de Cernuda es algo difuminado y sutil, cuasi —inaprensible, *perfil del aire,* (...) Vaguedad emocional, porque es difícil un estado espiritual intenso cuando apenas si se tiene contacto con la realidad del mundo, tal como la concibe el poeta»[30].

En el mismo año de la publicación de *Perfil del aire,* Gerardo Diego, por su parte, incluye en las páginas de su revista *Carmen* la *Égloga* de Cernuda, basada en la estructura formal de la *Égloga II* de Garcilaso, con lo que toma el poeta una trayectoria aún más clásica en su concepción de la poesía, diferente a las manifestaciones poéticas que se venían sucediendo en el ámbito literario de aquellos años, más cercanas a la manera de Góngora, o al recién introducido surrealismo, que a la sencillez idílica del poeta cortesano.

---

[29] Se hace referencia a *El crítico, el amigo y el poeta,* en *Prosa completa,* pág. 878.
[30] J. M. Aguirre, *«Primeras poesías» de Luis Cernuda,* del compendio citado, pág. 226.

Tras de la *Égloga* —señala Cernuda— escribí la *Elegía* y luego la *Oda.* Tales ejercicios sobre formas poéticas clásicas fueron sin duda provechosos para mi adiestramiento técnico; pero no dejaba de darme cuenta cómo mucha parte viva y esencial en mí no hallaba expresión en dichos poemas[31].

Cernuda está preocupado por entonces en hacer frente a la crítica negativa con que había sido recibida su primera obra, adversidad a la que, en cierto modo, contesta con estas tres composiciones, precedidas por la breve introducción de *Homenaje,* y con las que pretende demostrar definitivamente su personal habilidad poética, advirtiendo, asimismo, que

> El tiempo, duramente acumulando
> Olvido hacia el cantor, no lo aniquila;
> Siempre joven su voz, late y oscila,
> Al mundo de los hombres va cantando[32].

En 1928, cuando Cernuda está ya como lector en la Universidad de Toulouse, empieza a redactar su primera obra de carácter surrealista, a la que titula *Un río, un amor,* rótulo tal vez procedente del libro de Paul Eluard *L'amour, la poésie,* autor que el poeta sevillano lee atentamente por entonces, junto con los textos de Breton, Aragon y otros artífices del surrealismo. El no haber encontrado con sus dos libros anteriores la vía de expresión que necesitaba para desarrollar todo cuanto latía en su interior, así como la situación de inestabilidad, tanto económica como social y profesional, en que se encontraba por aquel tiempo, fueron circunstancias suficientemente determinantes para que Cernuda buscara en el surrealismo la libertad expresiva que requería, así como cierta liberación de sus personales opresiones.

De este modo, inspirándose en las ideas y sentimien-

---

[31] Luis Cernuda, *Prosa completa,* pág. 905.
[32] Cito por Luis Cernuda, *Poesía completa,* edición a cargo de Derek Harris y Luis Maristany, Barcelona, Barral Editores, 1974, pág. 65.

tos que le provocaban diversos medios expresivos, tales eran, por ejemplo, el jazz y el cine, de los que tanto gustaba, o haciéndose eco de sus propias variaciones anímicas y espirituales, compone Cernuda *Un río, un amor,* libro publicado en 1929, cuya temática general es no sólo la expresión desolada de la ausencia del amor y del *Inestable vacío sin alba ni crepúsculo,* sino también la desafiante y crítica actitud de un Cernuda vuelto ya contra el medio que le hostiga y le margina. Con esta obra «pudiera decirse que Cernuda llega a posesionarse definitivamente de su estilo, y ya seguro de él, avanza sin vacilaciones, con firmeza y precisión absolutas, en la totalidad de su destino poético»[33].

Dos años más tarde —1931— de la publicación de *Un río, un amor,* empieza Cernuda a trabajar en *Los placeres prohibidos.* La técnica de expresión surrealista está mucho más desarrollada en esta nueva obra, en la que, pese a la libre dinámica de sus diversas referencias, puede rastrearse una lógica y coherencia compositivas fuera de todo inconsciente automatismo. Téngase presente que el surrealismo español fue mucho más intelectual y calculador en sus manifestaciones, sobre todo literarias, que el surrealismo francés, menos coherente, por sus rápidas asociaciones inconsciente en el momento creativo, y más atento, por consiguiente, al desarrollo de un mayor automatismo, que a la ordenación, casi rigurosa que en este libro de Cernuda, por ejemplo, es observable.

El tono lírico aumenta con *Los placeres prohibidos,* donde expone y defiende el poeta su inclinación amorosa. Es notable en este libro la ruptura de la lógica sintáctica y la gran extensión de los versos, antes casi no utilizada, así como la audacia de ciertas imágenes que hieren a la sociedad tradicionalista y conservadora.

El amor cernudiano, más platónico y contemplativo que dionisíaco o sexual, aparece en este libro cargado de un fuerte erotismo, que ansía la posesión del objeto

---

[33] Arturo Serrano Plaja, *Notas a la poesía de Luis Cernuda,* del compendio citado, pág. 46.

amado o deseado y, sin embargo, lo continúa manteniendo a distancia, lo que al final de la obra concluye con la aceptación de esta tendencia suya a la contemplación sensual, llena ahora de melancolía, de cierta amargura y desengaño. *Los placeres prohibidos* fue publicado en 1936, año de la primera edición de *La Realidad y el Deseo,* como compendio ya de sus obras escritas hasta el momento, si bien Gerardo Diego publicó, en 1932, algunos poemas de este cuarto apartado cernudiano.

> El periodo de descanso —escribió el poeta— entre *Los placeres prohibidos* y *Donde habite el olvido,* aunque apenas marcado por un lapso de tiempo, aparte de la experiencia amorosa que dio ocasión a muchas composiciones de la segunda colección citada, representó también el abandono de mi adhesión al superrealismo[34].

En efecto, la quinta serie de *La Realidad y el Deseo,* que tituló Cernuda con un verso procedente de la Rima LXVI de Gustavo Adolfo Bécquer, *donde habite el olvido,* supone el cierre de lo que podría denominarse la primera etapa o periodo de su quehacer poético, más lírico y emocionalmente romántico, pero, a la vez, delineado con un tono más clásico y sereno que el de sus anteriores composiciones. *Donde habite el olvido,* uno de los más acertados hallazgos líricos del poeta sevillano, y donde aún es perceptible la huella del surrealismo, es el libro desesperado, «de nihilismo casi absoluto», según señaló Jenaro Talens, por cuanto se refiere tanto al amor desesperado en la colección anterior como a la actitud que toma Cernuda frente a la vida, entendida de manera muy general. Tras de la pérdida del amor —«La caricia es mentira, el amor es mentira, la amistad es mentira», escribe en el último poema del libro—, nada queda sino el «recuerdo de un olvido».

Esta obra, escrita entre los años 1932-1933, esboza ya la determinación vital que va a regular casi el resto de

---

[34] Luis Cernuda, *Prosa completa,* pág. 913.

la producción cernudiana, es decir, el retorno a la Naturaleza, por contraposición al caso de Baudelaire y a los antiguos dioses de las mitologías clásicas, al igual que en el caso de Hölderlin, como representaciones más intensas y sinceras, más leales también y más intemporales, que las que se desprenden de la singularización del amor, entendido como eje central en torno al que giran la vida y la muerte humanas, en un ser aislado y concreto. Con ello, logra Cernuda ampliar su visión del mundo y de sí mismo, lo que es ya observable en la sexta colección de su obra poética, *Invocaciones a las gracias del mundo,* título que, en la tercera edición de *La Realidad y el Deseo* (México, 1956), quedó reducido sencillamente a *Invocaciones.* Este nuevo libro, compuesto a partir de 1934 y publicado e inserto en la primera edición de *La Realidad y el Deseo,* que José Bergamín publicó en 1936 en la revista *Cruz y Raya,* implica un cambio, tanto formal como temático, en la poética cernudiana.

> Más que mediada ya la colección —nos indica Cernuda—, antes de componer el *Himno a la tristeza,* comencé a leer y a estudiar a Hölderlin, cuyo conocimiento ha sido una de mis mayores experiencias en cuanto poeta[35].

Invocaciones es la colección de poemas donde se produce la culminación amorosa, desarrollada a través de *Un río, un amor, Los placeres prohibidos* y *Donde habite el olvido,* si bien ahora recurre el poeta, gracias a la enriquecedora influencia de Hölderlin, a un enfoque pagano del mismo, es decir, a una sublimación del amor en aras de ensalzar la mitología y la Naturaleza por él redivivas y adaptadas a sus propias circunstancias vitales. Los poemas de esta serie alcanzan un tono mucho más pasional que en ninguna otra obra, bien como expresión de todo lo desarrollado en las anteriores respecto del

---

[35] Luis Cernuda, *ibídem,* pág. 915.

amor y del deseo, o bien como crítica del medio social o moral que los pretende reducir a un sistema de aceptadas convenciones. El sarcasmo, la ironía, el escepticismo, de igual manera que la reafirmación de sus propias tendencias amorosas y la conciencia de su destino en el entorno histórico que lo determina, hacen de *Invocaciones* una de las manifestaciones cernudianas más palpitantes y desgarradas, bien que su creador se lamentara, en cierto modo, de tales poemas, al escribir: «Se nota también, en el tono de los mismos, ampulosidad»[36], aseveración que se explica por la necesidad de Cernuda de buscar siempre la forma más sencilla, pura y transparente de expresarse al crear, necesidad que en este libro es de alguna manera subyugada a un tipo de dicción efectivamente más ampuloso, y también algo más imprecativo y prosaico. Sin embargo, no por todo ello deja de ser esta obra suya un profundo hallazgo de su creatividad que, sin duda, le prepara el camino hacia la producción de lo que hemos dado en denominar su segunda etapa poética o, dicho de otra manera, el periodo de su madurez lírica. *Invocaciones,* pues,

> parece representar un acceso a un concepto más amplio y sereno de la lírica, donde, aunque perduran las vibraciones románticas, se las ve alentar con amplitud y serenidad de clasicismo[37].

La primera manifestación del anteriormente denominado segundo periodo poético o etapa de madurez, es el libro *Las nubes,* séptima serie de *La Realidad y el Deseo,* empezada a redactar en 1936, año en que, como se sabe, se desencadenó la guerra civil española. El poeta lee a Leopardi por aquellas fechas, si bien el desenvolvimiento de estos poemas contiene el ya crecido germen de la influencia a la que Hölderlin le sometió, bien que en dicho libro se observen influjos procedentes de la líri-

---

[36] Luis Cernuda, *ibídem,* pág. 915.
[37] Pedro Salinas, *Luis Cernuda, poeta,* del compedio citado, pág. 33.

ca y la crítica inglesas, que Cernuda estudia y penetra durante la composición de dicha obra. Shakespeare, Blake, Keats, Browning, Coleridge, Ruskin y Eliot, entre otros, imprimen su huella en los poemas de *Las nubes,* donde el tono es ya del todo clásico, más coloquial también, adivinándose, en la profundidad de sus íntimas palpitaciones espirituales, una sosegada nostalgia por el exilio que Cernuda experimentaba, no sólo geográfico —recuérdese que en 1938, cuando aún está escribiendo esta obra, Cernuda pasa a Inglaterra—, sino también espiritual e incluso cósmico. Las profundas crisis que sufre por aquellos años, tanto de índole religiosa, como existencial y anímica, provocan en los poemas de dicho libro vibraciones de desazón, enfermiza melancolía, añoranza de lo nativo, deseo de la muerte, así como un desapasionado idealismo, observable en «Lázaro», por ejemplo, una de sus composiciones preferidas.

> Todo el libro de *Las nubes* tiene un aire de separación entre poeta y realidad, de contemplación desde la lejanía, utilizada, no sólo como recurso estilístico, sino por necesidad imperiosa de adquirir serenidad ante el mundo[38].

Y aun cuando toda valoración estimativa sobre determinadas facetas de una obra de arte corra el riesgo de la subjetividad crítica, puede decirse que *Las nubes* es la colección poética cernudiana que aglutina, con mayor concentración y plasticidad, la ambivalencia encerrada en el título que da nombre a toda su lírica, por más que el mismo Cernuda expresara su preferencia por *Como quien espera el alba,* libro que sigue a esta séptima serie de *La Realidad y el Deseo,* al tiempo que comienza Cernuda a escribir los poemas en prosa de *Ocnos.*

Como quien espera el alba, octavo apartado de su poesía completa, fue obra escrita entre 1941 y 1944,

---

38 Jenaro Taléns, *op. cit.,* pág. 110.

cuyo título alude, según confesión del mismo Cernuda a la esperanza que encerraba en él la finalización de la Segunda Guerra Mundial. Su cotidiana lectura de la Biblia, así como el interés que demuestra durante aquellas fechas por las obras de Kierkegaard y la meditación sobre la existencia humana a que le llevan los trágicos sucesos de la recién ahogada conflagración mundial, son circunstancias que se filtran en esta obra, donde queda aceptada la muerte, anteriormente deseada o sentida en *Las nubes,* como afirmación de la vida, según puede observarse en estos versos de su poema «El cementerio»:

> Piensas entonces cercana la frontera
> Donde unida está ya con la muerte la vida,
> Y adivinas los cuerpos iguales a simiente,
> Que sólo ha de vivir si muere en tierra oscura[39].

En este libro, utilizando frecuentemente la segunda persona, de referencia externa a sí mismo, desarrolla Cernuda definitivamente su tendencia al monólogo interior, técnica coloquial ésta que adquiere aquí visos de un recatado dramatismo:

> Vencido el niño, el hombre que ya eras
> Fue al venero, (...)
> Donde el que más arriesga es que más ama[40].

Y así, venciendo sus deseos de aferrarse a la perdida adolescencia, que mitifica Cernuda, tras de la desolación expresada en *Las nubes,* en la figura de Albanio, personaje central de *El viento en la colina,* narración en prosa compuesta en 1938, se lanza en *Como quien espera el alba* a la aceptación de su propia transitoriedad vital, *Aceptando la muerte para crear la vida,* a la vez que encumbra la imagen del poeta, como ser que más entrega en su fugaz paso por el tiempo inexorable.

La novena serie de *La Realidad y el Deseo* está encabe-

---

[39] Luis Cernuda, *Poesía completa,* pág. 339.
[40] Luis Cernuda, *ibídem,* págs. 341-342.

zada con el título de *Vivir sin estar viviendo,* libro de poemas escrito entre 1944 y 1949, cuya fecha, según antes quedó señalado, marcan el tránsito de Cernuda entre sus últimos momentos en Inglaterra y su paso a Estados Unidos. Jenaro Taléns ha señalado una tercera etapa en la lírica cernudiana, que comenzaría a partir de esta obra, y que tendría «como característica esencial la *angustia temporal:* el deseo de retener no ya lo que prevemos que se nos escapará en breve, sino lo que irremediablemente se nos está escapando»[41]. Valga esta tercera acotación en la evolución poética cernudiana, si bien, como el mismo Taléns reconoce en nota añadida a su propia apreciación clasificativa, la *angustia temporal* es característica de toda la lírica del poeta, y no aspecto exclusivo de este arbitrario tercer periodo. Dicha serie acrecienta el escepticismo existencial del poeta como hombre que crea, al mismo tiempo que aumenta la esperanza de que su voz halle eco algún día en el alma de espíritus afines al suyo, aun cuando escriba: «¿Amigos, dije? Amante o familiar, extraños todos.»

Recuerdo y deseo, las dos máximas más importantes, junto con el olvido, de la poesía de Cernuda, adquieren en esta obra relevancia de contrarios en constante lucha, de la que, acaso por el cansancio, ya presente en el poeta, va a salir victorioso el recuerdo:

> Y el futuro será, inmóvil, lo pasado:
> Imagen de esos muros en el agua[42].

o como afirma en el poema «Las islas»:

> Cuando el recuerdo así vuelve sobre sus huellas
> (¿No es el recuerdo la impotencia del deseo?),
> Es que a él, como a mí, la vejez vence;
> Y acaso ya no tengo lo único que tuve:
> Deseo, a quien rendida la ocasión le sigue[43].

[41] Jenaro Taléns, *op. cit.,* págs. 122-123.
[42] Luis Cernuda, *Poesía completa,* pág. 391.
[43] Luis Cernuda, *ibídem,* pág. 399.

Será, por consiguiente, a través del recuerdo como resurja el mito del poeta, ya expresado en libros anteriores, aunque en *Vivir sin estar viviendo* adquiere un nuevo matiz: el del hacedor que se contempla a sí mismo, tras de ratificar que también los dioses declinan con el tiempo, de igual manera que el poeta, dios en la tierra, César de un reino que *De lo visible abarca a lo invisible,* ha de terminar, inevitablemente, aceptando *La humildad de perderse en el olvido.* En este libro, en fin, es donde va a enfrentar Cernuda su anterior aceptación de la muerte, como afirmación de la vida, con la agria y desilusionada soledad a la que se halla sometido, como único medio de entregarse a su labor creadora, para llegar a aceptar su propio destino, ¿inútil?:

> Cerniendo como un dios, pues que divino soy
> Para el temor y el odio de humanas criaturas,
> Las dos alas gemelas del miedo y la esperanza[44].

De 1949 a 1950 escribe *Variaciones sobre tema mexicano,* libro de pequeñas composiciones en prosa a la manera de *Ocnos,* bien que más poético éste y más descriptivo, reflexivo y filosófico aquél, que goza de gran importancia referencial para el análisis y la profundización crítica y estética, e incluso ideológica, de *La Realidad y el Deseo* en estas últimas fases. En él pregunta y afirma Cernuda:

> ¿Quién mira el mundo? ¿Quién lo mira con mirada desinteresada? Acaso el poeta, y nadie más[45].

para concluir con entereza:

> ... nadie podrá ya evocar para el mundo lo que en el mundo termina contigo.
> ¿Lastimoso? Para ti, quizá. Pero tú no eres sino una carta más en el juego, y éste, aunque el reconocerlo así

---

44 Luis Cernuda, *ibídem,* pág. 402.
45 Luis Cernuda, *Prosa completa,* pág. 135.

te desazone, no se juega por ti ni para ti, sino contigo y por un instante[46].

Fugacidad y tensiones internas que aparecen en la décima colección poética de *La Realidad y el Deseo,* que bajo el título de *Con las horas contadas,* contiene, a su vez, el apartado de los *Poemas para un cuerpo,* último rescoldo del amoroso deseo, ahora consumado, del poeta. Escrito entre 1950 y 1956, *Con las horas contadas* es un libro esencialmente meditativo, pese a que casi todos los poemas que lo componen son de extensión reducida, por contraposición a las obras anteriores, en las que el predominio de las piezas extensas era bien patente. Ello se debe no sólo al agotamiento interno del poeta, que termina comprendiendo lo banal de sus esfuerzos creativos en un mundo que no presta atención suficiente, ni profunda cuando lo hace, a las manifestaciones artísticas, sino también al desarrollo que su poesía, entendida en toda su amplitud, había alcanzado ya en la obra anterior, y cuya condensación expone Cernuda en el poema «Nocturno yanqui», que en esta antología se incluye por ser una de las piezas fundamentales de su lírica. Asimismo, esta reducción de la amplitud poemática viene determinada por «aparte de una tendencia a la mayor concreción y economía verbales», por «un eco de la tradición andaluza, de la que tanto pretendía el propio poeta separarse»[47]. Del mismo modo, a través de esta preponderancia de los poemas cortos, así como de la fugacidad temporal a que se sabe sometido él mismo, se entrevé el desmoronamiento interno que le acecha, si bien, de una parte, afirma que, *aunque sólo dure unos días, la luz parece eterna;* y, de otra, contrapuntee su consunción creativa con poemas tan intensos, y aún extensos, como «Águila y rosa», «El elegido» y otros cuantos:

---

[46] Luis Cernuda, *ibídem,* pág. 156.
[47] Jenaro Taléns, *op. cit.,* pág. 137.

En la ventana abierta
De la casa, aún te quedas
Sin saber lo que esperas[48].

escribe, como anunciación tal vez de la segunda parte de *Con las horas contadas,* a la que titula *Poemas para un cuerpo,* «que son —como el mismo Cernuda afirma—, entre todos los versos que he escrito, unos de aquéllos a los que tengo algún afecto»[49]. Estos dieciséis pequeños poemas constituyen la íntima expresión del sentimiento amoroso cernudiano, en el que:

> ... por cada instante
> De goce, el precio está pagado:
> Este infierno de angustia y de deseo[50].

Es decir, la continua tendencia del poeta a sublimar sus propias pasiones en la *sombra/Del amor que en mí existe,* cuya entrega no se reduce a los estrechos límites de un cuerpo concreto, sino más bien a la anchurosa vastedad de un quehacer sin reposo, la poesía, cuya amplitud de expresión y de alcance le permite amar más intensa e indiscriminadamente, tanto a sí mismo, tal una manifestación humana más que él es, como a aquéllos que le escuchan o aquéllos que le ignoran, de igual manera que a la ambivalencia de la vida, entre el infierno y el paraíso, el amor y el odio, el recuerdo y el olvido, la desolación y el deseo, etc. Dirigiéndose, pues, a aquél que le motivó las alegrías postreras de su último amor concreto, o bien a ese *tú* interno con quien coloquia en muchas de sus composiciones, como personificación bien de sí mismo, de su yo interior, bien de ese otro con quien espera poder hablar algún día para ser oído y comprendido, escribe serenamente emocionado:

48 Luis Cernuda, *Poesía completa,* pág. 435.
49 Luis Cernuda, *Prosa completa,* pág. 938.
50 Luis Cernuda, *Poesía completa,* pág. 456.

43

Entonces te doy las gracias y te digo:
Para esto vine al mundo, a esperarte;
Para vivir por ti, como tú vives
Por mí, aunque no lo sepas,
Por este amor tan hondo que te tengo[51].

Desolación de la quimera, por último, título procedente, como acertadamente señaló Taléns, de un verso
de T. S. Eliot, compone la onceava y última serie de *La
Realidad y el Deseo.* Fue escrita entre 1956 y 1962, y representa la obra más desgarrada y agria de la poesía de
Cernuda, hombre entonces hastiado del mundo y hasta
de sí mismo, poeta desconocido, criticado con injusticia
y dureza, exiliado, falto ya de fuerzas para seguir creyendo hasta en sus propios mitos. Cernuda habla ahora,
más que escribe, con galvanización y acritud inusitadas
en su poesía, en cuya irónica dicción se adivina la voz de
un ser desesperado, justamente resentido, de la que son
timbres estos versos llenos de fuerza y encono:

Si yo soy español, lo soy
A la manera de aquellos que no pueden
Ser otra cosa: y entre todas las cargas
Que, al nacer yo, el destino pusiera
Sobre mí, ha sido ésa la más dura[52].

o de estos otros con que se cierra el libro:

... Si queréis
Que ame todavía, devolvedme
Al tiempo del amor. ¿Os es posible?
Imposible como aplacar ese fantasma que de mí evocásteis[53].

No obstante, y pese a la predominancia del tono audi-
ble en estos fragmentos, explícitos ejemplos del tono general de esta última obra suya, hay poemas de gran belleza y hondura expresivas, todavía patentes en estos

[51] Luis Cernuda, *ibídem,* pág. 445.
[52] Luis Cernuda, *ibídem,* pág. 477.
[53] Luis Cernuda, *ibídem,* pág. 528.

postreros destellos de la lírica cernudiana, como lo son «Las sirenas», «Música cautiva», «Luis de Baviera escucha Lohengrin», o bien el que da nombre a la colección, entre otros.

Aparte de su producción poética, fruto más suculento e inmarcesible de su florecimiento literario, escribió Cernuda obras de otra índole, entre las que son destacables, aparte de las ya señaladas *Ocnos* y *Variaciones sobre tema mexicano,* toda su producción crítica, de primordial relevancia para el conocimiento de la poética cernudiana, así como sus muy románticas *Tres narraciones,* sublime y delicada manifestación de su escasa obra en prosa descriptiva.

> La poesía, el creerme poeta, ha sido mi fuerza y, aunque me haya equivocado en esa creencia, ya no importa, pues a mi error he debido tantos momentos gozosos[54].

Tantos..., acaso menos, como le debemos nosotros al entregarnos a la serena delectación de su pureza poética.

---

[54] Luis Cernuda, *Prosa completa,* pág. 932.

IV

Caracteres generales de la obra poética cernudiana

Tratar de reducir a unos cuantos aspectos la complejidad de un poeta tan rico y profundo como lo es Cernuda, es igual a intentar esbozar en una línea la vastedad del firmamento. Lamartine escribió en cierta obra suya que el espectáculo depende del espectador. Y así, tantos serán los caracteres observables en *La Realidad y el Deseo,* como seres con capacidad crítica, de perspectiva histórica y literaria, y de comprensión lírica, se acerquen a obra tan diversa y contemporánea como lo es la de Luis Cernuda.

Puede, no obstante, apuntarse ciertas características peculiares a esta manifestación poética, siendo consciente, sin embargo, de la pluralidad de matices que aún no han sido apuntados en las referencias críticas a la misma, y que no van a desarrollarse aquí por no ser el lugar ni el momento para ello.

Como el mismo epígrafe de su poesía completa —*La Realidad y el Deseo*— señala, la lírica cernudiana se presenta como expresión, indudablemente trágica y dialéctica, de los dos polos que acotan el mundo, o también el absoluto, del poeta, en general, y de este poeta en particular: «Romántico a veces, siquiera por el tono, a menudo clásico, por la manera»[55].

Mundo, o más bien universo, en tensión constante, no sólo por las limitaciones e influjos educacionales, sociales e históricos que a Cernuda, como a otro ser humano cualquiera, le determinaron (lo que hay que tener siempre muy en cuenta al adentrarse en el análisis

---

[55] José Francisco Cirre, *Trascendentalismo poético,* del compendio citado, pág. 96.

crítico de su obra, o de cualquier otra manifestación artística), sino también por cuanto al carácter y a la personalidad del poeta se refiere, productos, sin duda, del medio y del tiempo en que vivió, más efecto, igualmente, del desarrollo de sí mismo, como ser único e irrepetible, que, al igual que cada uno de nosotros, era él y seguirá siendo a través de su poesía.

Cernuda sabe, no ya desde sus *Primeras poesías,* sino desde su mismo origen, que el hombre sensible e inteligente es consciente de su soledad, tanto física, como existencial y espiritual. Esa soledad vital y anímica, e incluso cósmica, le crea un insaciable deseo, siempre insatisfecho, de unión con lo bello, lo armónico, lo puro, lo absoluto de que el hombre ha sido desgajado, lo que equivale a decir que sufre un inagotable deseo de amor universal. La reconciliación entre ese deseo y la realidad que circunda, presurosa, excesivamente desespiritualizada, mediocre, y cuya laboriosidad de hormiguero ahoga la serenidad y la pureza con que han de ser sentidos y comprendidos los profundos secretos de la Naturaleza y del hombre, es poco menos que imposible, bien que Cernuda no intenta escapar nunca a aquélla —la realidad—, sino que, antes al contrario, se enfrenta a ella con gran capacidad de crítica, tanto sociológica como histórica, e incluso filosófica y religiosa, ofreciendo, a través de las sinceras emanaciones de su deseo, opciones para la construcción, al parecer utópica, de un nuevo mundo, aquél precisamente en el que él creía y consiguió delinear en su obra poética. «*Soledad amorosa,* como escribe el poeta y como era la de Garcilaso. Soledad del deseo y de la aspiración, como en Fray Luis de León y San Juan de la Cruz. Soledad del anhelo desengañado, como en Bécquer»[56]. Y, por sobre ella, sin inútiles lamentos por la desolación a que ésta pudiera someterle, erige Cernuda su filosófico compendio del deseo, primero del mundo exterior, después de un amor soñado, más tarde de la libre expresión de una manera de ser y de la

---

[56] Pedro Salinas, *op. cit.,* del compendio citado, pág. 36.

hermosura, física y anímica, puramente invocada, posteriormente de la Naturaleza y de los dioses míticos, más adelante hasta de la misma muerte como afirmación de la vida, para, por último desearse a sí mismo, al todo y a la nada, y hasta al deseo mismo. Expresión por consiguiente, de su ansia de libertad anímica y manifestación, asimismo, de cada íntima palpitación suya, así como de sus impotencias para extravertir en la realidad cotidiana y social el incesante dictado de su imaginación, de sus temores ocultos e incluso de sus conscientes e inconscientes contradicciones, el deseo cernudiano no se basta a sí mismo, sino que recurre a la realidad en que se desarrolla, así como al recuerdo, al sueño y al olvido, términos estos de gran importancia en toda su poesía.

Gracias, pues, a ese trágico ahondar en los abismos de su persona y del entorno en que se desenvuelve, consigue Cernuda una hondura expresiva sin parangón en la lírica española contemporánea, realzada, además, por lo conciso y sencillo, casi coloquial y transparente de su dicción poética.

> Siempre traté de componer mis poemas a partir de un germen inicial de experiencia, enseñándome pronto la práctica que, sin aquél, el poema no parecería inevitable ni adquiriría contorno exacto y expresión precisa[57].

Escribe. O como él mismo señala:

> Igual antipatía tuve siempre al lenguaje suculento e inusitado, tratando siempre de usar, a mi intención y propósito, es decir, con oportunidad y precisión, los vocablos de empleo diario: el lenguaje hablado y el tono coloquial hacia los cuales creo que tendí siempre[58].

Poesía, pues, la suya nada desgarrada ni altisonante, por contraposición a la de Baudelaire y Rimbaud, quie-

---

57 Luis Cernuda, *Prosa completa,* pág. 931.
58 Luis Cernuda, *ibídem,* pág. 927.

nes sin duda le influyeron, consigue, a través de la contemplación del mundo exterior y de sí mismo, y gracias también a su elegancia y serenidad expresiva, más común a la poesía clásica, pese a su profundo romanticismo, que a la lírica romántica, retórica y gesticulante, o a las literaturas contemporáneas de renovación vanguardista, consigue, digo, una intensidad y hondura expresivas capaces de penetrar la intimidad de todo lector sensible que permanezca atento a su *música callada* y goce de alguna experiencia en la clarificación de las secretas claves de la poesía.

Asentada sobre una filosofía poética que enaltece la belleza de la realidad vital e íntima, al mismo tiempo que reflexiona sobre ella y la critica, la poesía de Cernuda, biografía estética de su profundo espíritu, «es un camino hacia nosotros mismos. En esto radica su valor moral» [59]. Introspección lírica la suya hecha a base de digresiones en torno al hombre, y a sí mismo como tal, toda vez que, lejano a dejarse llevar por sus propias emociones, sentimientos e impulsos, centra su expresión en el contenido, el análisis y la clara exposición de su física y de su propia metafísica, tanto reales y presentidas como quiméricas e imaginarias, deseadas o vividas. Puede decirse, por consiguiente, que la poesía cernudiana recorre no sólo todos los caminos de la experiencia concreta de la vida, sino que, además, conecta con casi todas las corrientes estéticas de la tradición literaria: desde sus *Primeras poesías,* compuestas en la clásica décima espinela y en las que existe cierto contagio de la estética cubista y simbolista, pasando por su *Égloga, Elegía, Oda,* que enlaza con la lírica renacentista, y siguiendo con sus restantes obras, en las que se aglutinan aspectos de la estética grecolatina, de la estética barroca, del romanticismo, del surrealismo e incluso del impresionismo, con todo lo cual consigue Cernuda que *La Realidad y el Deseo* sea un compendio poético de alto valor, eminentemente clásico a la vez que enteramente

59 Octavio Paz, *La palabra edificante,* del compedio citado, pág. 139.

contemporáneo, por cuanto encierra en la evolución de su estética y en la expresividad de su ideología.

Poeta aparentemente nada arraigado a su entorno geográfico y cultural, siempre acerbo contra la tierra nativa que le ignoró y expulsó de sus lindes. Sin embargo, no puede afirmarse que Cernuda sea un poeta antiespañol. Antes al contrario, tanto en buena parte de su poesía como en algunas de sus composiciones en prosa, se advierte la presencia de España, según se observa en sus *Primeras poesías,* donde vibra el aire de Andalucía, así como en su obra *Ocnos,* o, por otra parte, lo constatan poemas como «Quisiera estar solo en el sur», «A un muchacho andaluz», «A un poeta muerto (F. G. L.)», «Elegía española I y II», «Jardín antiguo», «Un español habla de su tierra», «El ruiseñor sobre la piedra» y otros tantos.

Intentando, y consiguiendo, que su actividad creativa estuviese en estrecho ensamblaje con su propia vida, Cernuda se abisma a la zaga de su propia verdad, haciéndose eco, al mismo tiempo, en la medida de lo posible, del espíritu que animaba el desarrollo del tiempo en que le tocó vivir. «No extraña entonces que palpemos en su obra tan opuestas sugestiones: la pureza y la amargura, la fe y el escepticismo, la luz y la sombra, lo efímero y lo permanente, lo accidental y lo trascendente»[60], así como tampoco ha de parecernos inútil la esperanza implícita en su concepción del deseo, porque, a través de él, quiso Cernuda propalar toda la capacidad de amor que en él se encerraba de manera más intensa y profunda a la que se habría desprendido de su mera satisfacción concreta. Romántico platonismo, sí, el suyo, pero capaz todavía hoy, más allá de la detractora consunción del tiempo, de hacer temblar y estremecerse a quien tiene oídos para oírle y comprenderle. Por eso Cernuda, a diferencia de otros poetas, olvidados ya o bien sólo

---

[60] José Olivio Jiménez, *Desolación de la quimera,* del compendio citado, pág. 335.

nombrados por quienes, profesional o admirativamente, han hecho de la poesía un deber o una necesidad imprescindibles en sus vidas, goza, cada día más, de una estimación sin límites, corroborada hoy por esta nueva antología poética que de su lírica se ofrece.

Bibliografía selecta

Obras de Luis Cernuda

POESÍA

Perfil del aire, 4.º suplemento de *Litoral,* Málaga, 1927.
Donde habite el olvido, Madrid, Signo, 1934.
El joven marino, Madrid, Colección Héroe, 1936.
La Realidad y el Deseo, Madrid, Ed. Cruz y Raya, 1936; 2.ª edición aumentada, México, Séneca, 1940.
Las nubes, Buenos Aires, Colección Rama de Oro, 1943.
Como quien espera el alba, Buenos Aires, Losada, 1947.
Poemas para un cuerpo, Málaga, Colección «A quien conmigo va», 1957. Ed. limitada y fuera de comercio.
La Realidad y el Deseo, 3.ª ed. aumentada, México, F. C. E., 1964.
La Realidad y el Deseo, La Habana, Consejo Nacional de Cultura, 1965.
Perfil del aire. Con otras obras olvidadas e inéditas, edición y estudio de Derek Harris, Londres, Tamesis Books Ltd., 1971.
Poesía completa, edición a cargo de Derek Harris y Luis Maristany, Barcelona, Barral Editores, 1974.

PROSA

Ocnos, Londres, The Dolphin, 1942; 2.ª ed. aumentada, Madrid, Ínsula, 1949; 3.ª ed. aumentada, Xalapa, Universidad Veracruzana, 1963.
Tres narraciones, Buenos Aires, Imán, 1948; reedición, Barcelona, Seix Barral, 1974.

Variaciones sobre tema mexicano, México, Porrúa y Obregon, 1952.

Estudios sobre poesía española contemporánea, Madrid, Ediciones Guadarrama, 1957.

Pensamiento poético en la lírica inglesa (Siglo XIX), México, Imprenta Universitaria, 1958.

Poesía y literatura I, Barcelona, Seix Barral, 1960.

Poesía y literatura II, Barcelona, Seix Barral, 1964.

Crítica, ensayos y evocaciones, edición de Luis Maristany, Barcelona, Seix Barral, 1970.

Prosa completa, edición a cargo de Derek Harris y Luis Maristany, Barcelona, Barral Editores, 1975.

Ocnos, seguido de *Variaciones sobre tema mexicano.* Prólogo de Jaime Gil de Biedma, Madrid, Taurus, 1977.

Obras sobre Luis Cernuda

LIBROS

BELLÓN CAZABÁN, Juan Antonio, *La poesía de Luis Cernuda,* Universidad de Granada, 1973.

CAPOTE, José María, *El período sevillano de Luis Cernuda,* Madrid, Gredos, 1971.

— *El surrealismo en la poesía de Luis Cernuda,* Universidad de Sevilla, 1976.

DELGADO, Agustín, *La poética de Luis Cernuda,* Madrid, Editora Nacional, 1975.

HARRIS, Derek, *Luis Cernuda: A Study of the Poetry,* Londres, Tamesis Books Ltd., 1973.

— *Luis Cernuda,* edición de Derek Harris, Madrid, Taurus, serie «El escritor y la crítica», 1977.

MÜLLER, Elisabeth, *Die Dichtung Luis Cernudas,* Ginebra-París, Kölner Romantische Arbeiten, 1962.

RUIZ SILVA, Carlos, *Arte, amor y otras soledades en Luis Cernuda,* Madrid, Ediciones de la Torre, 1979.

SILVER, Philip, *«Et in Arcadia Ego»: A Study of the Poetry of Luis Cernuda,* Londres, Tamesis Books Ltd., 1965. Traducción española: *Luis Cernuda: El poeta en su leyenda,* Madrid, Alfaguara, 1972.

TALÉNS, Jenaro, *El Espacio y las Máscaras. Introducción a la lectura de Cernuda,* Barcelona, Anagrama, 1975.

HOMENAJES

Cántico (Córdoba), núms. 9-10 (agosto-noviembre de 1955).
Nivel (México), núm. 32 (agosto de 1961).
La Caña Gris (Valencia), núms. 6-8 (otoño de 1962).
Ágora (Madrid), núms. 83-84 (septiembre-octubre de 1963).
Nivel (México), núm. 12 (diciembre de 1963).
Revista Mexicana de Literatura (México) (enero-febrero de 1964).
Ínsula (Madrid), núm. 207 (febrero de 1964).
El Gallo Ilustrado, suplemento de *El Día* (México), núms. 593 (4-XI-73).
Sin nombre (Puerto Rico), núm. 4 (1976).
Cuadernos Hispanoamericanos (Madrid), núm. 316 (octubre de 1976).
Litoral (Málaga), núms. 79-80-81 (1979).

ESTUDIOS Y ARTÍCULOS

BAQUERO, Gastón, «La poesía de Luis Cernuda», *Darío, Cernuda y otros temas poéticos,* Madrid, Editora Nacional, 1969.
CANO, José Luis, «La poesía de Luis Cernuda», en *La poesía de la generación del 27,* Madrid, Guadarrama, 1970.
CAPOTE, José María, «Un poema surrealista inédito de Luis Cernuda», en *Cuadernos Hispanoamericanos,* núm. 316, 1976, págs. 66-76.
CÓRDOVA INFANTE, José, «Estudio lingüístico de la poesía de Luis Cernuda», en *Asomante,* San Juan de Puerto Rico, núm. 1, 1954.
DEBICKI, Andrew P., «Luis Cernuda: La naturaleza y la poesía en su obra lírica», en *Estudios sobre poesía española contemporánea,* Madrid, Gredos, 1968.
DELGADO, Agustín, «Cernuda y los estudios literarios», en *Cuadernos Hispanoamericanos,* núm. 220, Madrid, 1950.
FERNÁNDEZ BAÑULS, J. A., «Bécquer y la creación poética del 27: el caso de Cernuda», en *Archivo Hispalense,* Sevilla, núm. 165, 1971.
FRENTZEL BEYME, Susana, «La función del cuerpo en la cosmovisión poética de Luis Cernuda», en *Cuadernos del Sur,* núm. 10, Bahía Blanca, 1969.

GIL DE BIEDMA, Jaime; Juan GIL ALBERT, y Luis Antonio DE VILLENA, *Luis Cernuda,* Sevilla, Publicaciones de la Universidad de Sevilla, 1977.

MARCIAL DE ONÍS, Carlos, «Luis Cernuda», en *El surrealismo y cuatro poetas de la generación del 27,* Madrid, José Porrúa Turanzas, 1974.

OTERO, Carlos-Peregrín, «La tercera salida de La realidad y el deseo», en *Letras I,* Barcelona, Seix Barral, 1972.

PÉREZ DELGADO, G. Servando, «Luis Cernuda y sus Variaciones sobre tema americano», en *Revista de Estudios Americanos,* núm. 46, Sevilla, 1955.

SALINAS, Pedro, *Nueve o diez poetas,* en *Ensayos de Literatura Hispánica,* Madrid, Aguilar, 1961.

— «Luis Cernuda, poeta», en *Literatura española siglo XX,* Madrid, Alianza Editorial, 1970.

VALLE, Adriano del, «Oscura noticia de Luis Cernuda», en *Cántico,* núms. 9-10, Córdoba, 1955.

VIRKEL, A. E., «El simbolismo de las aguas en la poesía de Cernuda», en *Cuadernos del Sur,* núm. 10, Bahía Blanca, 1969.

VIVANCO, Luis Felipe, «Luis Cernuda en su palabra vegetal indolente», en *Introducción a la poesía española contemporánea,* Madrid, Ediciones Guadarrama, 1957.

ZULETA, Emilia de, «La poética de Luis Cernuda», en *Cinco poetas españoles,* Madrid, Gredos, 1971.

Nuestra edición

Criterios de nuestra selección poética

Elegir parte de la obra de un autor para hacer una antología, no es tarea fácil. Por eso estoy seguro, aunque siempre he intentado ser lo más objetivo posible, de que estará ausente en esta selección algún poema representativo del autor. Es difícil ser imparcial porque, se quiera o no, las preferencias personales se imponen y es esto lo que he tratado de evitar en el momento de la elección.

El lector encontrará en la presente antología poemas de todos los libros que integran *La Realidad y el Deseo,* es decir, desde *Primeras poesías* hasta *Desolación de la quimera,* para así mostrar la trayectoria vital y poética de Luis Cernuda. También he incluido algunos poemas en prosa de *Ocnos* y *Variaciones sobre tema mexicano,* para completar aún más el conocimiento de la obra poética del autor aquí representado.

Aunque en la antología se han incluido algunos poemas en prosa, su muestrario mayor lo es en verso. Por razones de espacio están ausentes la crítica literaria y la prosa narrativa del poeta sevillano. Sin embargo, el lector podrá encontrar la obra completa de Luis Cernuda, tanto en prosa como en verso, en las ediciones que han hecho Derek Harris y Luis Maristany, de las que se encuentra referencia completa en la bibliografía que incluyo en esta selección. Ediciones en las que me baso para hacer esta antología, por considerarlas, hasta hoy, las más completas y responsables.

Antología

*Primeras poesías
(1924-1927)*

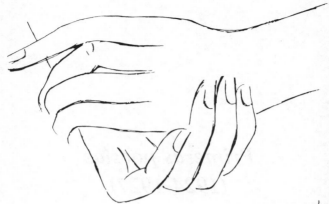

Mano de Luis Cernuda OXFORD

GREGORIO Prieto

II

Urbano y dulce revuelo
Suscitando fresca brisa
Para sazón de sonrisa
Que agosta el ardor del suelo;
Pues si aquel mudo señuelo   5
Es caña y papel, pasivo
Al curvo desmayo estivo,
Aún queda, brusca delicia,
La que abre tu caricia,
Oh ventilador cautivo.   10

III

Desengaño indolente
Y una calma vacía,
Como flor en la sombra,
El sueño fiel nos brinda.

Los sentidos tan jóvenes   5
Frente a un mundo se abren
Sin goces ni sonrisas,
Que no amanece nadie.

El afán, entre muros
Debatiéndose aislado,   10
Sin ayer ni mañana
Yace en un limbo extático.

La almohada no abre
Los espacios risueños;
Dice sólo, voz triste,   15
Que alientan allá lejos.

El tiempo en las estrellas.
Desterrada la historia.
El cuerpo se adormece
Aguardando su aurora.   20

IV

Morir cotidiano, undoso
Entre sábanas de espuma;
Almohada, alas de pluma
De los hombros en reposo.
Un abismo deleitoso   5
Cede; lo incierto presente
A quien con el cuerpo ausente
En contraluces pasea.
Al blando lecho rodea
Ébano en sombra luciente.   10

VI

¿Dónde huir? Tibio vacío,
Ingrávida somnolencia
Retiene aquí mi presencia,
Toda moroso albedrío,
En este salón tan frío,   5
Reino del tiempo tirano.
¿De qué nos sirvió el verano,
Oh ruiseñor en la nieve,
Si sólo un mundo tran breve
Ciñe al soñador en vano?   10

VIII

Vidrio de agua en mano del hastío.
Ya retornan las nubes en bandadas
Por el cielo, con luces embozadas
Huyendo al asfaltado en desvarío.

Y la fuga hacia dentro. Ciñe el frío,   5
Lento reptil, sus furias congeladas;
La soledad, tras las puertas cerradas,
Abre la luz sobre el papel vacío.

Las palabras que velan el secreto
Placer, y el labio virgen no lo sabe;   10
El sueño, embelesado e indolente,

Entre sus propias nieblas va sujeto,
Negándose a morir. Y sólo cabe
La belleza fugaz bajo la frente.

IX

El fresco verano llena
Andaluzas soledades;
No acercarán amistades
La tierna imagen ajena.
Visos y dejos de pena   5
El agua me robaría;
Que la desdicha sonría
Hasta que el viento la lleve.
Y en un molino de nieve
Levanto una nevería.   10

XI

Es la atmósfera ceñida;
Sólo centellea un astro
Vertiendo luz de alabastro
Con pantalla adormecida.

La música, que aterida 5
En el papel hizo nido,
Alisando su sonido,
Tiende el vuelo del atril
A la rama de marfil
Por la cámara en olvido. 10

XII

Eras, instante, tan claro.
Perdidamente te alejas,
Dejando erguido al deseo
Con sus vagas ansias tercas.

Siento huir bajo el otoño 5
Pálidas aguas sin fuerza,
Mientras se olvidan los árboles
De las hojas que desertan.

La llama tuerce su hastío,
Sola su viva presencia,
Y la lámpara ya duerme 10
Sobre mis ojos en vela.

Cuán lejano todo. Muertas
Las rosas que ayer abrieran,
Aunque aliente su secreto 15
Por las verdes alamedas.

Bajo tormentas de la playa
Será soledad de arena
Donde al amor yazca en sueños.
La tierra y el mar lo esperan. 20

XV

La luz dudosa despierta,
Pero la noche no está;
Hacia las estrellas va,
Sobre el horizonte alerta.

El aire tierno concierta   5
Con esta cándida hora.
¿Qué labio forma sonora
Dio a esa risa? La ventana
Traza su verde persiana
En la enramada a la aurora.   10

XVI

La noche a la ventana.
Ya la luz se ha dormido.
Guardada está la dicha
En el aire vacío.

Levanta entre las hojas,   5
Tú, mi aurora futura;
No dejes que me anegue
El sueño entre sus plumas.

Pero escapa el deseo
Por la noche entreabierta,   10
Y en límpido reposo
El cuerpo se contempla.

Acreciente la noche
Sus sombras y su calma,
Que a su rosal la rosa   15
Volverá la mañana.

Y una vaga promesa
Acunando va el cuerpo.
En vano dichas busca
Por el aire el deseo.   20

XVIII

Los muros nada más.
Yace la vida inerte,
Sin vida, sin ruido,
Sin palabras crueles.

La luz lívida escapa   5
Y el cristal ya se afirma
Contra la noche incierta,
De arrebatadas lluvias.

Alzada resucita
Tal otra vez la casa;   10
Los tiempos son idénticos,
Distintas las miradas.

¿He cerrado la puerta?
El olvido me abre
Sus desnudas estancias   15
Grises, blancas, sin aire.

Pero nadie suspira.
Un llanto entre las manos
Sólo. Silencio; nada.
La oscuridad temblando.   20

XXI

Va la sombra invasora
Despojando el espacio
Y la luz fugitiva
Huye a un mundo lejano.

Surge viva la lámpara   5
En la noche desierta,
Defendiendo el recinto
Con sus fuerzas ligeras.

Sólo el azul relámpago,
Que vierte la ventana   10
Hacia fuera, en el tiempo
Misterioso resbala.

Cuán vanamente atónita
Resucita de nuevo
La soledad. ¿Soñar?   15
Soñaremos que sueño.

Es la paz necesaria.
No se sabe; se olvida.
Otra noche acunando
Esta dicha vacía.   20

XXII

En soledad. No se siente
El mundo, que un muro sella;
La lámpara abre su huella
Sobre el diván indolente.
Acogida está la frente   5
Al regazo del hastío.
¿Qué ausencia, qué desvarío
A la belleza hizo ajena?
Tu juventud nula, en pena
De un blanco papel vacío.   10

XXIII

Escondido en los muros
Este jardín me brinda
Sus ramas y sus aguas
De secreta delicia.

Qué silencio. ¿Es así   5
El mundo? Cruza el cielo
Desfilando paisajes,
Risueño hacia lo lejos.

Tierra indolente. En vano
Resplandece el destino.   10
Junto a las aguas quietas
Sueño y pienso que vivo.

Mas el tiempo ya tasa
El poder de esta hora;
Madura su medida   15
Escapa entre sus rosas.

Y el aire fresco vuelve
Con la noche cercana,
Su tersura olvidando
Las ramas y las aguas.   20

Égloga, elegía, oda
(1927-1928)

ELEGÍA

Este lugar, hostil a los oscuros
Avances de la noche vencedora,
Ignorado respira ante la aurora,
Sordamente feliz entre sus muros.

Pereza, noche, amor, la estancia quieta   5
Bajo una débil claridad ofrece.
El esplendor sus llamas adormece
En la lánguida atmósfera secreta.

Y la pálida lámpara vislumbra
Rosas, venas de azul, grito ligero   10
De un contorno desnudo, prisionero
Tenuemente abolido en la penumbra.

Rosas tiernas, amables a la mano
Que un dulce afán impulsa estremecida,
Venas de ardiente azul; toda una vida   15
Al insensible sueño vuelta en vano.

¿Vive o es una sombra, mármol frío
En reposo inmortal, pura presencia
Ofreciendo su estéril indolencia
Con un claro, cruel escalofrío?   20

Al indeciso soplo lento oscila
El bulto langoroso[1]; se estremece
Y del seno la onda oculta crece
Al labio donde nace y se aniquila.

Equívoca delicia. Esa hermosura   25
No rinde su abandono a ningún dueño;
Camina desdeñosa por su sueño,
Pisando una falaz ribera oscura.

Del obstinado amante fugitiva,
Rompe los delicados, blandos lazos;   30
A la mortal caricia, entre los brazos,
¿Qué pureza tan súbita la esquiva?

Soledad amorosa. Ocioso yace
El cuerpo juvenil perfecto y leve.
Melancólica pausa. En triste nieve   35
El ardor soberano se deshace.

¿Y qué esperar, amor? Sólo un hastío,
El amargor profundo, los despojos.
Llorando vanamente ven los ojos
Ese entreabierto lecho torpe y frío.   40

Tibio blancor, jardín fugaz, ardiente,
Donde el eterno fruto se tendía
Y el labio alegre, dócil lo mordía
En un vasto sopor indiferente.

De aquel sueño orgulloso en su fecundo,   45
Espléndido poder, una lejana
Forma dormida queda, ausente y vana
Entre la sorda soledad del mundo.

---

[1] *Langoroso:* lánguido.

Esta insaciable, ávida amargura,
Flecha contra la gloria del amante,   50
¿Enturbia ese sereno diamante
De la angélica noche inmóvil, pura?

Mas no. De un nuevo albor el rumbo lento
Transparenta tan leve luz dudosa.
El pájaro en su rama melodiosa   55
Alisando está el ala, el dulce acento.

Ya con rumor suave la belleza
Esperada del mundo otra vez nace,
Y su onda monótona deshace
Este remoto dejo de tristeza.   60

ODA

La tristeza sucumbe, nube impura,
Alejando su vuelo con sombrío
Resplandor indolente, languidece,
Perdiéndose a lo lejos, leve, oscura.
El furor implacable del estío   5
Toda la vida espléndida estremece
Y profunda la ofrece
Con sus felices horas,
Sus soles, sus auroras,
Delirante, azulado torbellino.   10
Desde la luz, el más puro camino,
Con el fulgor que pisa compitiendo,
Vivo, bello y divino,
Un joven dios avanza sonriendo.

¿A qué cielo natal ajeno, ausente   15
Le niega esa inmortal presencia esquiva,
Ese contorno tibiamente pleno?
De mármol animado, quiere y siente;
Inmóvil, pero trémulo, se aviva
Al soplo de un purpúreo anhelar lleno.   20

El dibujo sereno
Del desnudo tan puro,
En un reflejo duro,
Con sombra y luz acusa su reposo.
Y levantando el bulto prodigioso   25
Desde el sueño remoto donde yace,
Destino poderoso,
A la fuerza suprema firme nace.

Pero ¿es un dios? El ademán parece
Romper de su actitud la pura calma   30
Con un gesto de muda melodía,
Que luego, suspendido, no perece;
Silencioso, mas vivido, con alma,
Mantiene sucesiva su armonía.
El dios que traslucía   35
Ahora olvidado yace;
Eco suyo, renace
El hombre que ninguna nube cela.
La hermosura diáfana no vela
Ya la atracción humana ante el sentido;   40
Y su forma revela
Un mundo eternamente presentido.

Qué prodigiosa forma palpitante,
Cuerpo perfecto en el vigor primero,
En su plena belleza tan humano.   45
Alzando su contorno triunfante,
Sólido, sí, mas ágil y ligero,
Abre la vida inmensa ante su mano.
Todo el horror en vano
A esa firmeza entera   50
Con sus sombras quisiera
Derribar de tan fúlgida armonía.
Pero, acero obstinado, sólo fía
En sí mismo ese orgullo tan altivo;
Claramente se guía   55
Con potencia admirable, libre y vivo.

Cuando la fuerza bella, la destreza
Despliega en la amorosa empresa ingrata
El cuerpo; cuando trémulo suspira;
Cuando en la sangre, oculta fortaleza,   60
El amor desbocado se desata,
El labio con afán ávido aspira
La gracia que respira
Una forma indolente;
Bajo su brazo siente   65
Otro cuerpo de lánguida blancura
Distendido, ofreciendo su ternura,
Como cisne mortal entre el sombrío
Verdor de la espesura,
Que ama, canta y sucumbe en desvarío.   70

Mas los tristes cuidados amorosos
Que tercamente la pasión reclama
De quien su vida en otras manos deja,
El tierno lamentar, los enojosos
Hastíos escondidos del que ama   75
Y tantas lentas lágrimas de queja,
El azar firme aleja
De este cuerpo sereno;
A su vigor tan pleno
La libertad conviene solamente,   80
No el cuidado vehemente
De las terribles y fugaces glorias
Que el amor más ardiente
Halla en fin tras sus débiles victorias.

Así en su labio enamorada nace   85
Sonrisa luminosa, dilatando
Por el viril semblante la alegría.
Y la antigua tristeza ya deshace,
Desde el candor primero gravitando,
La amargura secreta que nutría.   90
El cuerpo ya desvía
La natural crudeza
En hermosa destreza
Que por los tensos músculos remueve.

Y a la orilla cercana, al agua leve,   95
La forma tras su extraña imagen salta,
Relámpago de nieve
Bajo la luz difusa de tan alta.

Sonriente, dormida bajo el cielo,
Soñaba el agua y transcurría lenta,   100
Idéntica a sí misma y fugitiva.
Mas en tumulto alzándose, en revuelo
De rota espuma, al nadador ostenta
Ingrávido en su fuga a la deriva.
Y la forma se aviva   105
Con reflejos de plata;
Ata el río y desata,
En transparente lazo mal seguro,
Aquel rumbo veloz entre su oscuro
Anhelar ya resuelto en diamante.   110
La luz, esplendor puro,
Cálida envuelve al cuerpo como amante.

Un frescor sosegado se levanta
Hacia las hojas desde el verde río
Y en invisible vuelo se diluye.   115
La sombra misteriosa ya suplanta,
Entre el boscaje ávido y sombrío,
A la luz tan diáfana que huye.
Y la corriente fluye
Con su rumor sereno;   120
Todo el cielo está lleno
Del trinar que algún pájaro desvela.
El bello cuerpo en pie, desnudo cela,
Bajo la rama espesa, entretejida
Como difícil tela,   125
Su cegadora nieve estremecida.

Oh nuevo dios. Con deslumbrante brío
Al crepúsculo vuelve vagoroso
Su perezosa gracia seductora.

Todo el fúlgido encanto del estío   130
El fatigado bosque rumoroso
En reposo vacío lo evapora.
Vana y feliz, la hora
Al sopor indolente
Se abandona; no siente   135
Su silenciosa y lánguida hermosura.
Por la centelleante trama oscura
Huye el cuerpo feliz casi en un vuelo,
Dejando la espesura
Por la delicia púrpura del cielo.   140

Un río, un amor
(1929)

REMORDIMIENTO EN TRAJE DE NOCHE*

Un hombre gris avanza por la calle de niebla;
No lo sospecha nadie. Es un cuerpo vacío;
Vacío como pampa, como mar, como viento,
Desiertos tan amargos bajo un cielo implacable.

Es el tiempo pasado, y sus alas ahora   5
Entre la sombra encuentran una pálida fuerza;
Es el remordimiento, que de noche, dudando,
En secreto aproxima su sombra descuidada.

No estrechéis esa mano. La yedra altivamente
Ascenderá cubriendo los troncos del invierno.   10
Invisible en la calma el hombre gris camina.
¿No sentís a los muertos? Mas la tierra está sorda.

_____

* El título del poema es sugestivo. El sintagma común no poético
—traje de noche— por su condición de pertenecer a un mundo bur-
gués, obtiene una valoración poética en virtud del curso sintagmático.
También pudiera ser que el título estuviera inspirado en la letra de
alguna canción o título de algún film, como sucede en otros poemas
del libro. Tal es el caso de _Quisiera estar solo en el sur, Sombras blan-
cas_ y _Nevada._

QUISIERA ESTAR SOLO EN EL SUR*

Quizá mis lentos ojos no verán más el sur
De ligeros paisajes dormidos en el aire,
Con cuerpos a la sombra de ramas como flores
O huyendo en un galope de caballos furiosos.

El sur es un desierto que llora mientras canta,   5
Y esa voz no se extingue como pájaro muerto;
Hacia el mar encamina sus deseos amargos
Abriendo un eco débil que vive lentamente.

En el sur tan distante quiero estar confundido.
La lluvia allí no es más que una rosa entreabierta,   10
Su niebla misma ríe, risa blanca en el viento.
Su oscuridad, su luz son bellezas iguales.

---

* Cernuda se ha ocupado de aclararnos este punto en «Historial de un libro», en *Prosa completa,* pág. 909, dice así: «Dado mi gusto por los aires de Jazz, recorría catálogos de discos y, a veces, un título me sugería posibilidades poéticas como éste de *I want to be alone in the South,* del cual salió el poemita segundo de la colección susodicha (se refiere a *Un río, un amor*) y que algunos, erróneamente, interpretaron como expresión nostálgica de Andalucía.»

SOMBRAS BLANCAS*

Sombras frágiles, blancas, dormidas en la playa,
Dormidas en su amor, en su flor de universo,
El ardiente color de la vida ignorando
Sobre un lecho de arena y de azar abolido.

Libremente los besos desde sus labios caen   5
En el mar indomable como perlas inútiles;
Perlas grises o acaso cenicientas estrellas
Ascendiendo hacia el cielo con luz desvanecida.

Bajo la noche el mundo silencioso naufraga;
Bajo la noche rostros fijos, muertos, se pierden.   10
Sólo esas sombras blancas, oh blancas, sí, tan blancas.
La luz también da sombras, pero sombras azules.

---

* El título del poema está inspirado en el film de Robert Flaherty
realizado en 1928. Este fue el primer film sonoro que Cernuda vio en
París.

CUERPO EN PENA

Lentamente el ahogado recorre sus dominios
Donde el silencio quita su apariencia a la vida.
Transparentes llanuras inmóviles le ofrecen
Árboles sin colores y pájaros callados.

Las sombras indecisas alargándose tiemblan,   5
Mas el viento no mueve sus alas irisadas;
Si el ahogado sacude sus lívidos recuerdos.
Halla un golpe de luz, la memoria del aire.

Un vidrio denso tiembla delante de las cosas,
Un vidrio que despierta formas color de olvido;   10
Olvidos de tristeza, de un amor, de la vida.
Ahogados como un cuerpo sin luz, sin aire, muerto.

Delicados, con prisa, se insinúan apenas
Vagos revuelos grises, encendiendo en el agua
Reflejos de metal o aceros relucientes,   15
Y su rumbo acuchilla las simétricas olas.

Flores de luz tranquila despiertan a lo lejos,
Flores de luz quizá, o miradas tan bellas
Como pudo el ahogado soñarlas una noche,
Sin amor ni dolor, en su tumba infinita.   20

A su fulgor el agua seducida se aquieta,
Azulada sonrisa asomando en sus ondas.
Sonrisas, oh miradas alegres de los labios;
Miradas, oh sonrisas de la luz triunfante.

Desdobla sus espejos la prisión delicada;   25
Claridad sinuosa, errantes perspectivas.
Perspectivas que rompe con su dolor ya muerto
Ese pálido rostro que solemne aparece.

Su insomnio maquinal el ahogado pasea.
El silencio impasible sonríe en sus oídos.   30
Inestable vacío sin alba ni crepúsculo,
Monótona tristeza, emoción en ruinas.

En plena mar al fin, sin rumbo, a toda vela;
Hacia lo lejos, más, hacia la flor sin nombre.
Atravesar ligero como pájaro herido   35
Ese cristal confuso, esas luces extrañas.

Pálido entre las ondas cada vez más opacas
El ahogado ligero se pierde ciegamente
En el fondo nocturno como un astro apagado.
Hacia lo lejos, sí, hacia el aire sin nombre.   40

NEVADA

En el Estado de Nevada
Los caminos de hierro tienen nombres de pájaro[1],
Son de nieve los campos
Y de nieve las horas.

Las noches transparentes   5
Abren luces soñadas
Sobre las aguas o tejados puros
Consteladas de fiesta.

Las lágrimas sonríen,
La tristeza es de alas,   10
Y las alas, sabemos,
Dan amor inconstante.

Los árboles abrazan árboles,
Una canción besa otra canción;
Por los caminos de hierro   15
Pasa el dolor y la alegría.

Siempre hay nieve dormida
Sobre otra nieve, allá en Nevada.

---

[1] El verso pertenece a un frase de un film mudo que Cernuda vio
en Toulouse, y que utilizó como «collage» en el poema.

COMO EL VIENTO

Como el viento a lo largo de la noche,
Amor en pena o cuerpo solitario,
Toca en vano a los vidrios,
Sollozando abandona las esquinas;

O como a veces marcha en la tormenta,   5
Gritando locamente,
Con angustia de insomnio,
Mientras gira la lluvia delicada;

Sí, como el viento al que un alba le revela
Su tristeza errabunda por la tierra,   10
Su tristeza sin llanto,
Su fuga sin objeto;

Como él mismo extranjero,
Como el viento huyo lejos,
Y sin embargo vine como luz.   15

HABITACIÓN DE AL LADO

A través de una noche en pleno día
Vagamente he conocido a la muerte.
No la acompaña ningún lebrel[1];
Vive entre los estanques disecados,
Fantasmas grises de piedra nebulosa.   5

¿Por qué soñando, al deslizarse con miedo,
Ese miedo imprevisto estremece al durmiente?
Mirad vencido olvido y miedo a tantas sombras
    blancas
Por las pálidas dunas de la vida;
No redonda ni azul, sino lunática,   10
Con sus blancas lagunas, con sus bosques
En donde el cazador si quiere da caza al terciopelo.

Pero ningún lebrel acompaña a la muerte.
Ella con mucho amor sólo ama los pájaros,
Pájaros siempre mudos, como lo es el secreto,   15
Con sus grandes colores formando un torbellino
En torno a la mirada fijamente metálica.

Y los durmientes desfilan como nubes
Por un cielo engañoso donde chocan las manos,
Las manos aburridas que cazan terciopelos o nubes
    descuidadas.   20

Sin vida está viviendo solo profundamente.

---

[1] *Lebrel:* Perro al que se destina a la cacería de liebres.

DURANGO*

Las palabras quisieran expresar los guerreros,
Bellos guerreros impasibles,
Con el mañana gris abrazado, como un amante,
Sin dejarles partir hacia las olas.

Por la ventana abierta   5
Muestra el destino su silencio;
Sólo nubes con nubes, siempre nubes
Más allá de otras nubes semejantes,
Sin palabras, sin voces,
Sin decir, sin saber;   10
Últimas soledades que no aguardan mañana.

Durango está vacío
Al pie de tanto miedo infranqueable;
Llora consigo a solas la juventud sangrienta
De los guerreros bellos como luz, como espuma.   15

Por sorpresa los muros
Alguna mano dejan revolando a veces;
Sus dedos entreabiertos
Dicen adiós a nadie,
Saben algo quizá ignorado en Durango.   20

En Durango postrado,
Con hambre, miedo, frío,
Pues sus bellos guerreros sólo dieron,
Raza estéril en flor, tristeza, lágrimas.

---

* El poema lleva como título el nombre de una ciudad de Vizcaya
y de México, pero no parece referirse a ningún hecho concreto de la
historia de estas ciudades. Así pues, hay que ceñirse a lo que los versos
evocan. La ciudad está poblada por una raza de guerreros de gran
belleza física, cuya actitud impasible hace de ellos un pueblo sin libertad y futuro.

DAYTONA*

Hubo un día en que el día no engañaba,
En que sus manos tristes no sostenían un cuervo
Indiferente como los labios de la lluvia,
Como el rojizo hastío.

Mas hoy es imposible   5
Buscar la luz entre barcas nocturnas;
Alguien cortó la piedra en flor,
Sin que pudiera el mundo
Incendiar la tristeza.

Sólo un lugar existe, cuyos días   10
Nada saben de aquello,
Aunque todo allí sea mortal, el miedo, hasta las
  plumas;
Mas las olas abrazan
A tanta luz aún viva.

A tanta luz desbordando en la arena,   15
Desbordando en las nubes, desbordando en el
  tiempo,
Que dormita sin voz entre las ramas,
Olvidado fantasma con su collar de frío.

Mirad cómo sonríe hacia el amor Daytona.

---

 * Hemos visto cómo Cernuda en otros poemas hace alusión a nombres de ciudades, tal es el caso de Nevada, Durango y el del presente poema: Daytona, ciudad del Estado de Florida. Estas ciudades o regiones, algunas desconocidas por el poeta, alcanzan una configuración mítica, de soñada lejanía, donde el autor sitúa un posible paraíso.

NO INTENTEMOS EL AMOR NUNCA

Aquella noche el mar no tuvo sueño.
Cansado de contar, siempre contar a tantas olas,
Quiso vivir hacia lo lejos,
Donde supiera alguien de su color amargo.

Con una voz insomne decía cosas vagas,   5
Barcos entrelazados dulcemente
En un fondo de noche,
O cuerpos siempre pálidos, con su traje de olvido
Viajando hacia nada.

Cantaba tempestades, estruendos desbocados   10
Bajo cielos con sombra,
Como la sombra misma,
Como la sombra siempre
Rencorosa de pájaros estrellas.

Su voz atravesando luces, lluvia, frío,   15
Alcanzaba ciudades elevadas a nubes,
Cielo Sereno, Colorado, Glaciar del Infierno[1],
Todas puras de nieve o de astros caídos
En sus manos de tierra.

Mas el mar se cansaba de esperar las ciudades,   20
Allí su amor tan sólo era un pretexto vago
Con sonrisa de antaño,
Ignorado de todos.

Y con sueño de nuevo se volvió lentamente
Adonde nadie   25
Sabe nada de nadie,
Adonde acaba el mundo.

---

[1] En este verso Cernuda enumera tres nombres; dos de ellos son
fantásticos, el otro, el Colorado, región norteamericana.

LINTERNA ROJA

Albergue oscuro con mendigos de noche
Abrazando jirones de frío,
Mientras que los grupos inertes, iguales a una flor de
    lluvia,
Contemplan cómo pasa una sonrisa.

Poseen estos cuerpos miserables   5
Formas de ojos sin luz o de arena caída;
Vivir, allí canta una voz, si las manos no fallan,
Es alegre como un amor aprisionado.

Esos mendigos son los reyes sin corona
Que buscaron la dicha más allá de la vida,   10
Que buscaron la flor jamás abierta,
Que buscaron deseos terminados en nubes.

Los cuerpos palidecen como olas,
La luz es un pretexto de la sombra,
La risa va muriendo lentamente,   15
Y mi vida también se va con ella.

Mas las sombras no son mendigos o coronas,
Son los años de hastío esta noche con vida;
Y mi vida es ahora un hombre melancólico
Sin saber otra cosa que su llanto.   20

CARNE DE MAR

Dentro de breves días será otoño en Virginia[1],
Cuando los cazadores, la mirada de lluvia,
Vuelven a su tierra nativa, el árbol que no olvida,
Corderos de apariencia terrible,
Dentro de breves días será otoño en Virginia.   5

Sí, los cuerpos estrechamente enlazados,
Los labios en la llave más íntima,
¿Qué dirá él, hecho piel de naufragio
O dolor con la puerta cerrada,
Dolor frente a dolor,   10
Sin esperar amor tampoco?

El amor viene y va, mira;
El amor viene y va,
Sin dar limosna a nubes mutiladas,
Por vestidos harapos de tierra,   15
Y él no sabe, nunca sabrá más nada.

Ahora inútil pasar la mano sobre otoño.

---

[1] Nuevamente aparece una región norteamericana, Virginia, con las mismas características de las otras, es decir, como región de ensueño y de lejanía mítica.

LA CANCIÓN DEL OESTE*

Jinete sin cabeza,
Jinete como un niño buscando entre rastrojos
Llaves recién cortadas,
Víboras seductoras, desastres suntuosos,
Navíos para tierra lentamente de carne,   5
De carne hasta morir igual que muere un hombre.

A lo lejos
Una hoguera transforma en ceniza recuerdos,
Noches como una sola estrella,
Sangre extraviada por las venas un día,   10
Furia color de amor,
Amor color de olvido,
Aptos ya solamente para triste buhardilla.

Lejos canta el oeste,
Aquel oeste que las manos antaño   15
Creyeron apresar como el aire a la luna;
Mas la luna es madera, las manos se liquidan
Gota a gota, idénticas a lágrimas.

Olvidemos pues todo, incluso al mismo oeste;
Olvidemos que un día las miradas de ahora   20
Lucirán a la noche, como tantos amantes,
Sobre el lejano oeste,
Sobre amor más lejano.

_____

   * El Oeste aquí mencionado tiene las mismas connotaciones que
otras regiones que aparecen en poemas anteriores.

NOCTURNO ENTRE LAS MUSARAÑAS

Cuerpo de piedra, cuerpo triste
Entre lanas con muros de universo,
Idéntico a las razas cuando cumplen años,
A los más inocentes edificios,
A las más pudorosas cataratas,   5
Blancas como la noche, en tanto la montaña
Despedaza formas enloquecidas,
Despedaza dolores como dedos,
Alegrías como uñas.

No saber donde ir, donde volver,   10
Buscando los vientos piadosos
Que destruyen las arrugas del mundo,
Que bendicen los deseos cortados a raíz
Antes de dar su flor,
Su flor grande como un niño.   15

Los labios quieren esa flor
Cuyo puño, besado por la noche,
Abre las puertas del olvido labio a labio.

COMO LA PIEL

Ventana huérfana con cabellos habituales,
Gritos del viento,
Atroz paisaje entre cristal de roca,
Prostituyendo los espejos vivos,
Flores clamando a gritos   5
Su inocencia anterior a obesidades.

Esas cuevas de luces venenosas
Destrozan los deseos, los durmientes;
Luces como lenguas hendidas
Penetrando en los huesos hasta hallar la carne,   10
Sin saber que en el fondo no hay fondo,
No hay nada, sino un grito,
Un grito, otro deseo
Sobre una trampa de adormideras crueles.

En un mundo de alambre   15
Donde el olvido vuela por debajo del suelo,
En un mundo de angustia,
Alcohol amarillento,
Plumas de fiebre,
Ira subiendo a un cielo de vergüenza,   20
Algún día nuevamente resurgirá la flecha
Que abandona el azar
Cuando una estrella muere como otoño para olvidar
    su sombra.

Los placeres prohibidos
(1931)

DIRÉ CÓMO NACISTEIS

Diré cómo nacisteis, placeres prohibidos,
Como nace un deseo sobre torres de espanto,
Amenazadores barrotes, hiel descolorida,
Noche petrificada a fuerza de puños,
Ante todos, incluso el más rebelde,   5
Apto solamente en la vida sin muros.

Corazas infranqueables, lanzas o puñales,
Todo es bueno si deforma un cuerpo;
Tu deseo es beber esas hojas lascivas
O dormir en ese agua acariciadora.   10
No importa;
Ya declaran tu espíritu impuro.

No importa la pureza, los dones que un destino
Levantó hacia las aves con manos imperecederas;
No importa la juventud, sueño más que hombre,   15
La sonrisa tan noble, playa de seda bajo la tempestad
De un régimen caído.

Placeres prohibidos, planetas terrenales,
Miembros de mármol con sabor de estío,
Jugo de esponjas abandonadas por el mar,   20
Flores de hierro, resonantes como el pecho de un
    hombre.

Soledades altivas, coronas derribadas,
Libertades memorables, manto de juventudes;
Quien insulta esos frutos, tinieblas en la lengua,
Es vil como un rey, como sombra de rey   25
Arrastrándose a los pies de la tierra
Para conseguir un trozo de vida.

No sabía los límites impuestos,
Límites de metal o papel,
Ya que el azar le hizo abrir los ojos bajo una luz
    tan alta,   30
Adonde no llegan realidades vacías,
Leyes hediondas, códigos, ratas de paisajes derruidos.

Extender entonces la mano
Es hallar una montaña que prohibe,
Un bosque impenetrable que niega,   35
Un mar que traga adolescentes rebeldes.

Pero si la ira, el ultraje, el oprobio y la muerte,
Avidos dientes sin carne todavía,
Amenazan abriendo sus torrentes,
De otro lado vosotros, placeres prohibidos,   40
Bronce de orgullo, blasfemia que nada precipita,
Tendéis en una mano el misterio.
Sabor que ninguna amargura corrompe,
Cielos, cielos relampagueantes que aniquilan.

Abajo, estatuas anónimas,   45
Sombras de sombras, miseria, preceptos de niebla;
Una chispa de aquellos placeres
Brilla en la hora vengativa.
Su fulgor puede destruir vuestro mundo.

ADÓNDE FUERON DESPEÑADAS

¿Adónde fueron despeñadas aquellas cataratas,
Tantos besos de amantes, que la pálida historia
Con signos venenosos presenta luego al peregrino
sobre el desierto, como un guante
Que olvidado pregunta por su mano?   5

Tú lo sabes, Corsario[1];
Corsario que se goza en tibios arrecifes,
Cuerpos gritando bajo el cuerpo que les visita,
Y sólo piensan en la caricia,
Sólo piensan en el deseo,   10
Como bloque de vida
Derretido lentamente por el frío de la muerte.

Otros cuerpos, Corsario, nada saben;
Déjalos pues.
Vierte, viértete sobre mis deseos,   15
Ahórcate en mis brazos tan jóvenes,
Que con la vista ahogada,
Con la voz última que aún broten mis labios,
Diré amargamente cómo te amo.

---

[1] El personaje central, además del propio autor, es el Corsario que
puede ser una personificación, con fuertes matices románticos, del
amor y el deseo.

EN MEDIO DE LA MULTITUD

En medio de la multitud le vi pasar, con sus ojos tan rubios como la cabellera. Marchaba abriendo el aire y los cuerpos; una mujer se arrodilló a su paso. Yo sentí cómo la sangre desertaba mis venas gota a gota.

Vacío, anduve sin rumbo por la ciudad. Gentes extrañas pasaban a mi lado sin verme. Un cuerpo se derritió con leve susurro al tropezarme. Anduve más y más.

No sentía mis pies. Quise cogerlos en mi mano, y no hallé mis manos; quise gritar, y no hallé mi voz. La niebla me envolvía.

Me pesaba la vida como un remordimiento; quise arrojarla de mí. Mas era imposible, porque estaba muerto y andaba entre los muertos.

QUÉ RUIDO TAN TRISTE

Qué ruido tan triste el que hacen dos cuerpos cuando
   se aman,
Parece como el viento que se mece en otoño
Sobre adolescentes mutilados,
Mientras las manos llueven,
Manos ligeras, manos egoístas, manos obscenas,   5
Cataratas de manos que fueron un día
Flores en el jardín de un diminuto bolsillo.

Las flores son arena y los niños son hojas,
Y su leve ruido es amable al oído
Cuando ríen, cuando aman, cuando besan,   10
Cuando besan el fondo
De un hombre joven y cansado
Porque antaño soñó mucho día y noche.

Mas los niños no saben,
Ni tampoco las manos llueven como dicen;   15
Así el hombre, cansado de estar solo con sus sueños,
Invoca los bolsillos que abandonan arena,
Arena de las flores,
Para que un día decoren su semblante de muerto.

NO DECÍA PALABRAS

No decía palabras,
Acercaba tan sólo un cuerpo interrogante,
Porque ignoraba que el deseo es una pregunta
Cuya respuesta no existe,
Una hoja cuya rama no existe,   5
Un mundo cuyo cielo no existe.

La angustia se abre paso entre los huesos,
Remonta por las venas
Hasta abrirse en la piel,
Surtidores de sueño   10
Hechos carne en interrogación vuelta a las nubes.

Un roce al paso,
Una mirada fugaz entre las sombras,
Bastan para que el cuerpo se abra en dos,
Ávido de recibir en sí mismo   15
Otro cuerpo que sueñe;
Mitad y mitad, sueño y sueño, carne y carne,
Iguales en figura, iguales en amor, iguales en deseo.

Aunque sólo sea una esperanza,
Porque el deseo es una pregunta cuya respuesta
   nadie sabe.   20

ESTABA TENDIDO

Estaba tendido y tenía entre mis brazos un cuerpo como seda. Lo besé en los labios, porque el río pasaba por debajo. Entonces se burló de mi amor.

Sus espaldas parecían dos alas plegadas. Lo besé en las espaldas, porque el agua sonaba debajo de nosotros. Entonces lloró al sentir la quemadura de mis labios.

Era un cuerpo tan maravilloso que se desvaneció entres mis brazos. Besé su huella; mis lágrimas la borraron. Como el agua continuaba fluyendo, dejé caer en ella un puñal, un ala y una sombra.

De mi mismo cuerpo recorté otra sombra que sólo me sigue a la mañana. Del puñal y el ala, nada sé.

SI EL HOMBRE PUDIERA DECIR

Si el hombre pudiera decir lo que ama,
Si el hombre pudiera levantar su amor por el cielo
Como una nube en la luz;
Si como muros que se derrumban,
Para saludar la verdad erguida en medio,   5
Pudiera derrumbar su cuerpo, dejando sólo la ver-
    dad de su amor,
La verdad de sí mismo,
Que no se llama gloria, fortuna o ambición,
Sino amor o deseo,
Yo sería aquel que imaginaba;   10
Aquel que con su lengua, sus ojos y sus manos
Proclama ante los hombres la verdad ignorada,
La verdad de su amor verdadero.

Libertad no conozco sino la libertad de estar preso
    en alguien
Cuyo nombre no puedo oír sin escalofrío;   15
Alguien por quien me olvido de esta existencia
    mezquina,
Por quien el día y la noche son para mí lo que quiera.
Y mi cuerpo y espíritu flotan en su cuerpo y espíritu
Como leños perdidos que el mar anega o levanta
Libremente, con la libertad del amor,   20
La única libertad que me exalta,
La única libertad porque muero.

Tú justificas mi existencia:
Si no te conozco, no he vivido;
Si muero sin conocerte, no muero, porque no he
    vivido.   25

UNOS CUERPOS SON COMO FLORES

Unos cuerpos son como flores,
Otros como puñales,
Otros como cintas de agua;
Pero todos, temprano o tarde,
Serán quemaduras que en otro cuerpo se agranden,   5
Convirtiendo por virtud del fuego a un piedra en
    un hombre.

Pero el hombre se agita en todas direcciones,
Sueña con libertades, compite con el viento,
Hasta que un día la quemadura se borra,
Volviendo a ser piedra en el camino de nadie.   10

Yo, que no soy piedra, sino camino
Que cruzan al pasar los pies desnudos,
Muero de amor por todos ellos;
Les doy mi cuerpo para que lo pisen,
Aunque les lleve a una ambición o a una nube,   15
Sin que ninguno comprenda
Que ambiciones o nubes
No valen un amor que se entrega.

LOS MARINEROS SON LAS ALAS DEL AMOR

Los marineros[1] son las alas del amor,
Son los espejos del amor,
El mar les acompaña,
Y sus ojos son rubios lo mismo que el amor
Rubio es también, igual que son sus ojos.   5

La alegría vivaz que vierten en las venas
Rubia es también,
Idéntica a la piel que asoman;
No les dejéis marchar porque sonríen
Como la libertad sonríe,   10
Luz cegadora erguida sobre el mar.

Si un marinero es mar,
Rubio mar amoroso cuya presencia es cántico,
No quiero la ciudad hecha de sueños grises;
Quiero sólo ir al mar donde me anegue,   15
Barca sin norte,
Cuerpo sin norte hundirme en su luz rubia.

---

[1] Los marineros, como la figura del Corsario en el poema *Adónde fueron despeñadas,* tienen las mismas características.

QUÉ MÁS DA

Qué más da el sol que se pone o el sol que se levanta,
La luna que nace o la luna que muere.

Mucho tiempo, toda mi vida, esperé verte surgir
    entre las nieblas monótonas.
Luz inextinguible, prodigio rubio como la llama;
Ahora que te he visto sufro, porque igual que aquéllos 5
No has sido para mí menos brillante,
Menos efímero o menos inaccesible que el sol y la
    luna alternados.

Mas yo sé lo que digo si a ellos te comparo,
Porque aun siendo brillante, efímero, inaccesible,
Tu recuerdo, como el de ambos astros,   10
Basta para iluminar, tú ausente, toda esta niebla
    que me envuelve.

EL MIRLO, LA GAVIOTA

El mirlo, la gaviota,
El tulipán, las tuberosas,
La pampa dormida en Argentina,
El Mar Negro como después de una muerte,
Las niñitas, los tiernos niños,   5
Las jóvenes, el adolescente,
La mujer adulta, el hombre,
Los ancianos, las pompas fúnebres,
Van girando lentamente con el mundo;
Como si una ciruela verde,   10
Picoteada por el tiempo,
Fuese inconmovible en la rama.

Tiernos niñitos, yo os amo;
Os amo tanto, que vuestra madre
Creería que intentaba haceros daño.   15

Dame las glicinas azules sobre la tapia inocente,
Las magnolias embriagadoras sobre la falda blanca
    y vacía,
El libro melancólico entreabierto,
Las piernas entreabiertas,
Los bucles rubios del adolescente;   20
Con todo ello haré el filtro sempiterno:
Bebe unas gotas y verás la vida como a través de un
    vidrio coloreado.

Déjame, ya es hora de que duerma,
De dormir este sueño inacabable.

Quiero despertar algún día,   25
Saber que tu pelo, niño,
Tu vientre suave y tus espaldas
No son nada, nada, nada.

Recoger conchas delicadas:
Mira qué viso violado.   30

Las escamas de los súbitos peces,
Los músculos dorados del marino,
Sus labios salados y frescos,
Me prenden en un mundo de espejismo.

Creo en la vida,   35
Creo en ti que no conozco aún,
Creo en mí mismo;
Porque algún día yo seré todas las cosas que amo:
El aire, el agua, las plantas, el adolescente.

TE QUIERO

Te quiero.

Te lo he dicho con el viento,
Jugueteando como animalillo en la arena
O iracundo como órgano tempestuoso;

Te lo he dicho con el sol,   5
Que dora desnudos cuerpos juveniles
Y sonríe en todas las cosas inocentes;

Te lo he dicho con las nubes,
Frentes melancólicas que sostienen el cielo,
Tristezas fugitivas;   10

Te lo he dicho con las plantas,
Leves criaturas transparentes
Que se cubren de rubor repentino;

Te lo he dicho con el agua,
Vida luminosa que vela en un fondo de sombra;   15
Te lo he dicho con el miedo,
Te lo he dicho con la alegría,
Con el hastío, con las terribles palabras.

Pero así no me basta:
Más allá de la vida,   20
Quiero decírtelo con la muerte;
Más allá del amor,
Quiero decírtelo con el olvido.

HABÍA EN EL FONDO EL MAR

Había en el fondo del mar una perla y una vieja trompeta. Las sutiles capas del agua sonreían con delicadeza al pasar junto a ellas; las llamaban las dos amigas.

Había un niñito ahogado junto a un árbol de coral. Los brazos descoloridos y las ramas luminosas se enlazaban estrechamente; los llamaban los dos amantes.

Había un fragmento de rueda venida desde muy lejos y un pájaro disecado, que asombraba como elegante extranjero a los atónitos peces; les llamaban los nómadas.

Había una cola de sirena con reflejos venenosos y un muslo de adolescente, distantes la una del otro; les llamaban los enemigos.

Había una estrella, una liga de hombre, un libro deteriorado y un violín diminuto; había otras sorprendentes maravillas, y cuando el agua pasaba, rozándolas suavemente, parecía como si quisiera invitarlas a que la siguieran en cortejo centelleante.

Pero ninguna era comparable a una mano de yeso cortada. Era tan bella que decidí robarla. Desde entonces llena mis noches y mis días; me acaricia y me ama. La llamo la verdad del amor.

HE VENIDO PARA VER

He venido para ver semblantes
Amables como viejas escobas,
he venido para ver las sombras
Que desde lejos me sonríen.

He venido para ver los muros   5
En el suelo o en pie indistintamente,
He venido para ver las cosas,
Las cosas soñolientas por aquí.

He venido para ver los mares
Dormidos en cestillo italiano,   10
He venido para ver las puertas,
El trabajo, los tejados, las virtudes
De color amarillo ya caduco.

He venido para ver la muerte
Y su graciosa red de cazar mariposas,   15
He venido para esperarte
Con los brazos un tanto en el aire,
He venido no sé por qué;
Un día abrí los ojos: he venido.

Por ello quiero saludar sin insistencia   20
A tantas cosas más que amables:
Los amigos de color celeste,
Los días de color variable,
La libertad del color de mis ojos;

Los niñitos de seda tan clara,   25
los entierros aburridos como piedras,
La seguridad, ese insecto
Que anida en los volantes de la luz.

Adiós, dulces amantes invisibles,
Siento no haber dormido en vuestros brazos.   30
Vine por esos besos solamente;
Guardad los labios por si vuelvo.

Donde habite el olvido
(1932-1933)

I

Donde habite el olvido[1],
En los vastos jardines sin aurora;
Donde yo sólo sea
Memoria de una piedra sepultada entre ortigas
Sobre la cual el viento escapa a sus insomnios.   5

Donde mi nombre deje
Al cuerpo que designa en brazos de los siglos,
Donde el deseo no exista.

En esa gran región donde el amor, ángel terrible,
No esconda como acero   10
En mi pecho su ala[2],
Sonriendo lleno de gracia aérea mientras crece el
     tormento.

Allá donde termine este afán que exige un dueño a
     imagen suya,
Sometiendo a otra vida su vida,
Sin más horizonte que otros ojos frente a frente.   15

Donde penas y dichas no sean más que nombres,
Cielo y tierra nativos en torno de un recuerdo;
Donde al fin quede libre sin saberlo yo mismo,
Disuelto en niebla, ausencia,
Ausencia leve como carne de niño.   20

Allá, allá lejos;
Donde habite el olvido.

---

[1] El título del libro y el primer verso del poema están sacados de la
rima LXVI de Bécquer, cuyo influjo es sensible en el libro.
[2] Las alas simbolizan en muchas ocasiones la pasión amorosa, imagen que aparece con frecuencia en el presente libro.

II

Como una vela sobre el mar
Resume ese azulado afán que se levanta
Hasta las estrellas futuras,
Hecho escala de olas
Por donde pies divinos descienden al abismo,   5
También tu forma misma,
Ángel, demonio, sueño de un amor soñado,
Resume en mí un afán que en otro tiempo levantaba
Hasta las nubes sus olas melancólicas.

Sintiendo todavía los pulsos de ese afán,   10
Yo, el más enamorado,
En las orillas del amor,
Sin que una luz me vea
Definitivamente muerto o vivo,
Contemplo sus olas y quisiera anegarme,   15
Deseando perdidamente
Descender, como los ángeles aquellos por la escala
   de espuma,
Hasta el fondo del mismo amor que ningún hombre
   ha visto.

IV

Yo fui.

Columna ardiente, luna de primavera,
Mar dorado, ojos grandes.

Busqué lo que pensaba;
Pensé, como al amanecer en sueño lánguido,   5
Lo que pinta el deseo en días adolescentes.

Canté, subí,
Fui luz un día
Arrastrado en la llama.

Como un golpe de viento   10
Que deshace la sombra,
Caí en lo negro,
En el mundo insaciable.

He sido.

V

Quiero, con afán soñoliento,
Gozar de la muerte más leve
Entre bosques y mares de escarcha,
Hecho aire que pasa y no sabe.

Quiero la muerte entre mis manos,   5
Fruto tan ceniciento y rápido,
Igual al cuerno frágil
De la luz cuando nace en el invierno.

Quiero beber al fin su lejana amargura;
Quiero escuchar su sueño con rumor de arpa   10
Mientras siento las venas que se enfrían,
Porque la frialdad tan sólo me consuela.

Voy a morir de un deseo,
Si un deseo sutil vale la muerte;
A vivir sin mí mismo de un deseo,   15
Sin despertar, sin acordarme,
Allá en la luna perdido entre su frío.

VI

El mar es un olvido,
Una canción, un labio;
El mar es un amante,
Fiel respuesta al deseo.

Es como un ruiseñor,   5
Y sus aguas son plumas,
Impulsos que levantan
A las frías estrellas.

Sus caricias son sueño,
Entreabren la muerte,   10
Son lunas accesibles,
Son la vida más alta.

Sobre espaldas oscuras
Las olas van gozando.

VII

Adolescente fui en días idénticos a nubes,
Cosa grácil, visible por penumbra y reflejo,
Y extraño es, si ese recuerdo busco,
Que tanto, tanto duela sobre el cuerpo de hoy.

Perder placer es triste   5
Como la dulce lámpara sobre el lento nocturno;
Aquél fui, aquél fui, aquél he sido;
Era la ignorancia mi sombra.

Ni gozo ni pena; fui niño
Prisionero entre muros cambiantes;   10
Historias como cuerpos, cristales como cielos,
Sueño luego, un sueño más alto que la vida.

Cuando la muerte quiera
Una verdad quitar de entre mis manos,
Las hallará vacías, como en la adolescencia   15
Ardientes de deseo, tendidas hacia el aire.

VIII

Nocturno, esgrimes horas
Sordamente profundas;
En esas horas fulgen
Luces de ojos absortos.

Bajo el cielo de hierro   5
Da hojas la amargura,
Lenta entre las cadenas
Que sostienen la vida.

Hechos vibrante fuego
O filo inextinguible,   10
Los condenados tuercen
Sus cuerpos en la sombra.

Ya no es vida ni muerte
El tormento sin nombre,
Es un mundo caído   15
Donde silba la ira.

Es un mar delirante,
Clamor de todo espacio,
Voz que de sí levanta
Las alas de un dios póstumo.   20

X

Bajo el anochecer inmenso,
Bajo la lluvia desatada, iba
Como un ángel que arrojan
De aquel edén nativo.

Absorto el cuerpo aún desnudo,   5
Todo frío ante la brusca tristeza,
Lo que en la luz fue impulso, las alas,
Antes candor erguido,
A la espalda pesaban sordamente.

Se buscaba a sí mismo,   10
Pretendía olvidarse a sí mismo;
Niño en brazos del aire,
En lo más poderoso descansando,
Mano en la mano, frente en la frente

Entre precipitadas formas vagas,   15
Vasta estela de luto sin retorno,
Arrastraba dos lentas soledades,
Su soledad de nuevo, la del amor caído.

Ellas fueron sus alas en tiempos de alegría,
Esas que por el fango derribadas   20
Burla y respuesta dan al afán que interroga,
Al deseo de unos labios.

Quisiste siempre, al fin sabes
Cómo ha muerto la luz, tu luz un día,
Mientras vas, errabundo mendigo, recordando,
    deseando;   25
Recordando, deseando.

Pesa, pesa el deseo recordado;
Fuerza joven quisieras para alzar nuevamente,
Con fango, lágrimas, odio, injusticia,
La imagen del amor hasta el cielo,   30
La imagen del amor en la luz pura.

XI

No quiero, triste espíritu, volver
Por los lugares que cruzó mi llanto,
Latir secreto entre los cuerpos vivos
Como yo también fui.

No quiero recordar   5
Un instante feliz entre tormentos;
Goce o pena, es igual,
Todo es triste al volver.

Aún va conmigo como una luz lejana
Aquel destino niño,   10
Aquellos dulces ojos juveniles,
Aquella antigua herida.

No, no quisiera volver,
Sino morir aún más,
Arrancar una sombra,   15
Olvidar un olvido.

XII

No es el amor quien muere,
Somos nosotros mismos.

Inocencia primera
Abolida en deseo,
Olvido de sí mismo en otro olvido,   5
Ramas entrelazadas,
¿Por qué vivir si desaparecéis un día?

Sólo vive quien mira
Siempre ante sí los ojos de su aurora,
Sólo vive quien besa   10
Aquel cuerpo de ángel que el amor levantara.

Fantasmas de la pena,
A lo lejos, los otros,
Los que ese amor perdieron,
Como un recuerdo en sueños,   15
Recorriendo las tumbas
Otro vacío estrechan.

Por allá van y gimen,
Muertos en pie, vidas tras de la piedra,
Golpeando impotencia,   20
Arañando la sombra
Con inútil ternura.

No, no es el amor quien muere.

XIII

MI ARCÁNGEL

No solicito ya ese favor celeste, tu presencia;
Como incesante filo contra el pecho,
Como el recuerdo, como el llanto,
Como la vida misma vas conmigo.

Tú fluyes en mis venas, respiras en mis labios,   5
Te siento en mi dolor;
Bien vivo estás en mí, vives en mi amor mismo,
Aunque a veces
Pesa la luz, la soledad.

Vuelto en el lecho, como niño sin nadie frente al
     muro,   10
Contra mi cuerpo creo,
Radiante enigma, el tuyo;
No ríes así ni hieres,
No marchas ni te dejas, pero estás conmigo.

Estás conmigo como están mis ojos en el mundo,   15
Dueños de todo por cualquier instante;
Mas igual que ellos, al hacer la sombra, luego vuelvo,
Mendigo a quien despojan de su misma pobreza,
Al yerto infierno de donde he surgido.

XIV

*A Concha Méndez
y Manuel Altolaguirre*

Eras tierno deseo, nube insinuante,
Vivías con el aire entre cuerpos amigos,
Alentabas sin forma, sonreías sin voz,
Dejo inspirado de invisible espíritu.

Nuestra impotencia, lenta espina,   5
Quizá en ti hubiera sido fuerza adolescente;
No dolor irrisorio ni placer egoísta,
No sueño de una vida ni maldad triunfante.

Como nube feliz que pasa sin la lluvia,
Como un ave olvidada de la rama nativa,   10
A un tiempo poseíste muerte y vida,
Sin haber muerto, sin haber vivido.

Entre el humo tan triste, entre las flacas calles
De una tierra medida por los odios antiguos,
No has descubierto así, vueltos contra tu dicha,   15
El poder con sus manos de fango,
Un dios abyecto disponiendo destinos,
La mentira y su cola redonda erguida sobre el mundo,
El inerme amor llorando entre las tumbas.

Tu leve ausencia, eco sin nota, tiempo sin historia,   20
Pasando igual que un ala,
Deja una verdad transparente;
Verdad que supo y no sintió,
Verdad que vio y no quiso.

El invisible muro
Entre los brazos todos,
Entre los cuerpos todos,
Islas de maldad irrisoria.

No hay besos, sino losas;   5
No hay amor, sino losas
Tantas veces medidas por el paso
Febril del prisionero.

Quizá el aire afuera
Suene cantando al mundo   10
El himno de la fiel alegría;
Quizá, glorias enajenadas,
Alas radiantes pasan.

Un deseo inmenso,
Afán de una verdad,   15
Bate contra los muros,
Bate contra la carne
Como un mar entre hierros.

Ávidos un momento
Unos ojos se alzan   20
Hacia el rayo del día,
Relámpago cobrizo victorioso
Con su espada tan alta.

Entre piedras de sombra,
De ira, llanto, olvido,   25
Alienta la verdad.

La prisión,
La prisión viva.

LOS FANTASMAS DEL DESEO

A Bernabé Fernández-Canivell

Yo no te conocía, tierra;
Con los ojos inertes, la mano aleteante,
Lloré todo ciego bajo tu verde sonrisa,
Aunque, alentar juvenil, sintiera a veces
Un tumulto sediento de postrarse,   5
Como huracán henchido aquí en el pecho;
Ignorándote, tierra mía,
Ignorando tu alentar, huracán o tumulto,
Idénticos en esta melancólica burbuja que yo soy
A quien tu voz de acero inspirara un menudo vivir.   10

Bien sé ahora que tú eres
Quien me dicta esta forma y este ansia;
Sé al fin que el mar esbelto,
La enamorada luz, los niños sonrientes,
No son sino tú misma;   15
Que los vivos, los muertos,
El placer y la pena,
La soledad, la amistad,
La miseria, el poderoso estúpido,
El hombre enamorado, el canalla,   20
Son tan dignos de mí como de ellos yo lo soy;
Mis brazos, tierra, son ya más anchos, ágiles,
Para llevar tu afán que nada satisface.

El amor no tiene esta o aquella forma,
No puede detenerse en criatura alguna;   25
Todas son por igual viles y soñadoras.
Placer que nunca muere,
Beso que nunca muere,
Sólo en ti misma encuentro, tierra mía.

Nimbos de juventud, cabellos rubios o sombríos,   30
Rizosos o lánguidos como una primavera,
Sobre cuerpos cobrizos, sobre radiantes cuerpos
Que tanto he amado inútilmente,
No es en vosotros donde la vida está, sino en la tierra.
En la tierra que aguarda, aguarda siempre   35
Con sus labios tendidos, con sus brazos abiertos.

Dejadme, dejadme abarcar, ver unos instantes
Este mundo divino que ahora es mío,
Mío como lo soy yo mismo,
Como lo fueron otros cuerpos que estrecharon mis
    brazos,   40
Como la arena, que al besarla los labios
Finge otros labios, dúctiles al deseo,
Hasta que el viento lleva sus mentirosos átomos.

Como la arena, tierra,
Como la arena misma,   45
La caricia es mentira, el amor es mentira, la amis-
    tad es mentira
Tú sola quedas con el deseo,
Con este deseo que aparenta ser mío y ni siquiera es
    mío,
Sino el deseo de todos,
Malvados, inocentes,   50
Enamorados o canallas.

Tierra, tierra y deseo.
Una forma perdida.

Invocaciones
(1934-1935)

A UN MUCHACHO ANDALUZ

Te hubiera dado el mundo,
Muchacho que surgiste
Al caer de la luz por tu Conquero[1],
Tras la colina ocre,
Entre pinos antiguos de perenne alegría.   5

¿Eras emanación del mar cercano?
Eras el mar aún más
Que las aguas henchidas con su aliento,
Encauzadas en río sobre tu tierra abierta,
Bajo el inmenso cielo con nubes que se orlaban de
    rotos resplandores,   10

Eras el mar aún más
Tras de las pobres telas que ocultaban tu cuerpo;
Eras forma primera,
Eras fuerza inconsciente de su propia hermosura.

Y tus labios, de bisel tan terso,   15
Eran la vida misma,
Como una ardiente flor
Nutrida con la savia
De aquella piel oscura
Que infiltraba nocturno escalofrío.   20

Si el amor fuera un ala[2].

---

[1] *Conquero:* Lugar cercano a la ciudad de Huelva.
[2] Véase la nota 2 del primer poema del libro, *Donde habite el olvido.*

La incierta hora con nubes desgarradas,
El río oscuro y ciego bajo la extraña brisa,
La rojiza colina con sus pinos cargados de secretos,
Te enviaban a mí, a mi afán ya caído,   25
Como verdad tangible.

Expresión armoniosa de aquel mismo paraje,
Entre los ateridos fantasmas que habitan nuestro
    mundo,
Eras tú una verdad,
Sola verdad que busco,   30
Más que verdad de amor, verdad de vida;
Y olvidando que sombra y pena acechan de continuo
Esa cúspide virgen de la luz y la dicha,
Quise por un momento fijar tu curso ineluctable.

Creí en ti, muchachillo.   35

Cuando el mar evidente,
Con el irrefutable sol de mediodía,
Suspendía mi cuerpo
En esa abdicación del hombre ante su dios,
Un resto de memoria   40
Levantaba tu imagen como recuerdo único.

Y entonces,
Con sus luces el violento Atlántico,
Tantas dunas profusas, tu Conquero nativo,
Estaban en mí mismo dichos en tu figura,   45
Divina ya para mi afán con ellos,
Porque nunca he querido dioses crucificados,
Tristes dioses que insultan
Esa tierra ardorosa que te hizo y deshace.

138

SOLILOQUIO DEL FARERO*

Cómo llenarte, soledad,
Sino contigo misma.

De niño, entre las pobres guaridas de la tierra,
Quieto en ángulo oscuro,
Buscaba en ti, encendida guirnalda,   5
Mis auroras futuras y furtivos nocturnos,
Y en ti los vislumbraba,
Naturales y exactos, también libres y fieles,
A semejanza mía,
A semejanza tuya, eterna soledad.   10

Me perdí luego por la tierra injusta
Como quien busca amigos o ignorados amantes;
Diverso con el mundo,
Fui luz serena y anhelo desbocado,
Y en la lluvia sombría o en el sol evidente   15
Quería una verdad que a ti te traicionase,
Olvidando en mi afán
Cómo las alas fugitivas su propia nube crean.

Y al velarse a mis ojos
Con nubes sobre nubes de otoño desbordado   20
La luz de aquellos días en ti misma entrevistos,
Te negué por bien poco;
Por menudos amores ni ciertos ni fingidos,
Por quietas amistades de sillón y de gesto,
Por un nombre de reducida cola en un mundo
      fantasma,
                                                                       25
Por los viejos placeres prohibidos,
Como los permitidos nauseabundos,
Utiles solamente para el elegante salón susurrado,
En bocas de mentira y palabras de hielo.
Por ti me encuentro ahora el eco de la antigua
      persona
                                                                       30

Que yo fui,
Que yo mismo manché con aquellas juveniles traiciones;
Por ti me encuentro ahora, constelados hallazgos,
Limpios de otro deseo,
El sol, mi dios, la noche rumorosa,   35
La lluvia, intimidad de siempre,
El bosque y su alentar pagano,
El mar, el mar como su nombre hermoso;
Y sobre todos ellos,
Cuerpo oscuro y esbelto,   40
Te encuentro a ti, tú, soledad tan mía,
Y tú me das fuerza y debilidad
Como al ave cansada los brazos de la piedra.

Acodado al balcón miro insaciable el oleaje,
Oigo sus oscuras imprecaciones,   45
Contemplo sus blancas caricias;
Y erguido desde cuna vigilante
Soy en la noche un diamante que gira advirtiendo a
    los hombres,
Por quienes vivo, aun cuando no los vea;
Y así, lejos de ellos,   50
Ya olvidados sus nombres, los amo en muchedumbres,
Roncas y violentas como el mar, mi morada,
Puras ante la espera de una revolución ardiente
O rendidas y dóciles, como el mar sabe serlo
Cuando toca la hora de reposo que su fuerza
    conquista,   55

Tú, verdad solitaria,
Transparente pasión, mi soledad de siempre,
Eres inmenso abrazo;
El sol, el mar,
La oscuridad, la estepa,   60
El hombre y su deseo,
La airada muchedumbre,
¿Qué son sino tú misma?

Por ti, mi soledad, los busqué un día;
En ti, mi soledad, los amo ahora.   65

140

EL VIENTO DE SEPTIEMBRE
ENTRE LOS CHOPOS

Por este clima lúcido,
Furor estival muerto,
Mi vano afán persigue
Un algo entre los bosques.

Un no sé qué, una sombra,   5
Cuerpo de mi deseo,
Arbórea[1] dicha acaso
Junto a un río tranquilo.

Pero escucho; resuena
Por el aire delgado,   10
Estelar melodía,
Un eco entre los chopos.

Oigo caricias leves,
Oigo besos más leves;
Por allá baten alas,   15
Por allá van secretos.

No, vosotros no sois,
Arroyos taciturnos,
Frágiles amoríos
Como de sombra humana.   20

No, clara juventud,
No juguéis mi destino;
No busco vuestra gracia
Ni esa breve sonrisa.

---

[1] *Arbórea:* Perteneciente o relativo al árbol. Semejante al árbol.

Corre allí, entre las cañas,   25
Susurrante armonía;
Canta una voz, cantando
Como yo mismo, lejos.

Hundo mi cabellera,
Busco labios, miradas,   30
Tras la inquietas hojas
De estos cuerpos esbeltos.

Ávido aspiro sombra;
Oigo un afán tan mío.
Canta, deseo, canta   35
La canción de mi dicha.

Altas sombras mortales:
Vida, afán, canto, os dejo.
Quiero anegar mi espíritu
Hecho gloria amarilla.   40

NO ES NADA, ES UN SUSPIRO

No es nada, es un suspiro,
Pero nunca sació nadie esa nada
Ni nadie supo nunca de qué alta roca nace.

Ni puedes tú saberlo, tú que eres
Nuestro afán, nuestro amor,   5
Nuestra angustia de hombres;
Palabra que creamos
En horas de dolor solitario.

Un suspiro no es nada,
Como tampoco es nada   10
El viento entre los chopos,
La bruma sobre el mar
O ese impulso que guía
Un cuerpo hacia otro cuerpo.

Nada mi fe, mi llama,   15
Ni este vivir oscuro que la lleva;
Su latido o su ardor
No son sino un suspiro,
Aire triste o risueño
Con el viento que escapa.   20

Sombra, si tú lo sabes, dime;
Deja el hondo fluir
Libre sobre su margen invisible,
Acuérdate del hombre que suspira
Antes de que la luz vele su muerte,   25
Vuelto él también latir de aire,
Suspiro entre tus manos poderosas.

POR UNOS TULIPANES AMARILLOS

Tragando sueño tras un vidrio impalpable,
Entre las dobles fauces,
Tuyas, pereza, de ti también, costumbre,
Vivía en un país del claro sur
Cuando a mí vino, alegre mensaje de algún dios,   5
No sé qué aroma joven,
Hálito henchido de tibieza prematura.

No se advertía el eco de un remoto clima celeste
En la figura del etéreo visitante,
Veíamos tan sólo   10
Una luz virgen, pétalo voluptuoso toda ella,
Que ondulaba en sus manos bajo la sonrisa insegura,
Como si temiera a la tierra.

Con gesto enamorado
Me adelantó los tiernos fulgores vegetales,   15
Sosteniendo su goteante claridad,
Forma llena de seducción terreste,
En unos densos tulipanes amarillos
Erguidos como dichas entre verdes espadas.

Por un aletear de labio a labio   20
Sellé el pacto, unidos el cielo con la tierra,
Y entonces la vida abrió los ojos sin malicia,
Con absorta delicadeza, como niño reciente.

Tendido en la yacija del mortal más sombrío
Tuve tus alas, rubio mensajero,   25
En transporte de ternura y rencor entremezclado;
Y mordí duramente la verdad del amor, para que
    no pasara
Y palpitara fija
En la memoria de alguien,
Amante, dios o la muerte en su día.   30

Arrastrado en la ráfaga,
Al cobrar pie entre los mirtos misteriosos
Que sustentan la tierra con su terco alimento de
    sombras,
El claro visitante ya no estaba,
Sólo una ligera embriaguez por la casa vacía.   35

Mas todavía, sobre el cristal acuoso,
Con esos bajos rayos que vierte un sol aterido,
Los tulipanes de bordes requemados
Dejaban escapar el terso espíritu.

Dura melancolía,   40
No en vano nos has criado con venenosa leche,
Siempre tu núcleo seco
Tropiezan nuestros dientes en la elástica carne de
    la dicha,
Como semilla en la pulpa coloreada de algún fruto.
¿Dónde ocultar mi vida como un remordimiento?   45

Tú, lluvia que entierras este día primero de la
    ausencia,
Como si nada ni nadie hubiera de amar más,
Dame tierra, una llama, que traguen puramente
Esas flores borrosas,
Y con ellas   50
El peso de una dicha hurtada al rígido destino.

LA GLORIA DEL POETA

Demonio hermano mío, mi semejante[1],
Te vi palidecer, colgado como la luna matinal,
Oculto en una nube por el cielo,
Entre las horribles montañas,
Una llama a guisa de flor tras la menuda oreja
    tentadora,   5
Blasfemando lleno de dicha ignorante,
Igual que un niño cuando entona su plegaria,
Y burlándote cruelmente al contemplar mi
    cansancio de la tierra.

Mas no eres tú,
Amor mío hecho eternidad,   10
Quien deba reír de este sueño, de esta impotencia,
    de esta caída,
Porque somos chispas de un mismo fuego
Y un mismo soplo nos lanzó sobre las ondas
    tenebrosas
De una extraña creación, donde los hombres
Se acaban como un fósforo al trepar los fatigosos
    años de sus vidas.   15

Tu carne como la mía
Desea tras el agua y el sol el roce de la sombra;
Nuestra palabra anhela
El muchacho semejante a una rama florida
Que pliega la gracia de su aroma y color en el aire
    cálido de mayo;   20
Nuestros ojos el mar monótono y diverso,
Poblado por el grito de las aves grises en la
    tormenta,
Nuestra mano hermosos versos que arrojar al
    desdén de los hombres.

---

[1] El demonio al que se refiere el autor, no es el demonio cristiano, sino el fuego interior que consume al poeta, propio de la filosofía de Sócrates.

Los hombres tú los conoces, hermano mío;
Mírales cómo enderezan su invisible corona   25
Mientras se borran en la sombra con sus mujeres
    al brazo,
Carga de suficiencia inconsciente,
Llevando a comedida distancia del pecho,
Como sacerdotes católicos la forma de su triste
    dios,
Los hijos conseguidos en unos minutos que se
    hurtaron al sueño   30
Para dedicarlos a la cohabitación, en la densa
    tiniebla conyugal
De sus cubiles, escalonados los unos sobre los
    otros.

Mírales perdidos en la naturaleza,
Cómo enferman entre los graciosos castaños o los
    taciturnos plátanos.
Cómo levantan con avaricia el mentón,   35
Sintiendo un miedo oscuro morderles los talones;
Mira cómo desertan de su trabajo el séptimo día
    autorizado,
Mientras la caja, el mostrador, la clínica, el
    bufete, el despacho oficial
Dejan pasar el aire con callado rumor por su
    ámbito solitario.

Escúchales brotar interminables palabras   40
Aromatizadas de facilidad violenta,
Reclamando un abrigo para el niñito encadenado
    bajo el sol divino
O en una bebida tibia, que resguarde
    aterciopeladamente
El clima de sus fauces,
A quienes dañaría la excesiva frialdad del agua
    natural.   45

Oye sus marmóreos preceptos
Sobre lo útil, lo normal y lo hermoso;

óyeles dictar la ley al mundo, acotar el amor, dar
    canon a la belleza inexpresable,
Mientras deleitan sus sentidos con altavoces
    delirantes;
Contempla sus extraños cerebros   50
Intentando levantar, hijo a hijo, un complicado
    edificio de arena
Que negase con torva frente lívida la refulgente
    paz de las estrellas.

Ésos son, hermano mío,
Los seres con quienes muero a solas,
Fantasmas que harán brotar un día   55
El solemne erudito, oráculo de estas palabras mías
    ante alumnos extraños,
Obteniendo por ello renombre,
Más una pequeña casa de campo en la angustiosa
    sierra inmediata a la capital;
En tanto tú, tras irisada niebla,
Acaricias los rizos de tu cabellera   60
Y contemplas con gesto distraído desde la altura
Esta sucia tierra donde el poeta se ahoga.

Sabes sin embargo que mi voz es la tuya,
Que mi amor es el tuyo;
Deja, oh, deja por una larga noche   65
Resbalar tu cálido cuerpo oscuro,
Ligero como un látigo,
Bajo el mío, momia de hastío sepulta en anónima
    yacija,
Y que tus besos, ese venero inagotable,
Viertan en mí la fiebre de una pasión a muerte
    entre los dos;   70
Porque me cansa la vana tarea de las palabras,
Como al niño las dulces piedrecillas
Que arroja a un lago, para ver estremecerse su calma
Con el reflejo de una gran ala misteriosa.

Es hora ya, es más que tiempo 75
De que tus manos cedan a mi vida
El amargo puñal codiciado del poeta;
De que lo hundas, con sólo un golpe limpio,
En este pecho sonoro y vibrante, idéntico a un laúd,
Donde la muerte únicamente, 80
La muerte únicamente,
Puede hacer resonar la melodía prometida.

DANS MA PENICHE*

A Rosa Chacel

Quiero vivir cuando el amor muere;
Muere, muere pronto, amor mío.
Abre como una cola la victoria purpúrea del deseo,
Aunque el amante se crea sepultado en un súbito
    otoño,
Aunque grite: 5
«Vivir así es cosa de muerte.»

Pobres amantes,
Clamáis a fuerza de ser jóvenes;
Sea propicia la muerte al hombre a quien mordió
    la vida,
Caiga su frente cansadamente entre las manos   10
Junto al fulgor redondo de una mesa con cualquier
    triste libro;
Pero en vosotros aún va fresco y fragante
El leve perejil que adorna un día al vencedor
    adolescente.
Dejad por demasiado cierta la perspectiva de
    alguna nueva tumba solitaria,
Aún hay dichas, terribles dichas a conquistar bajo
    la luz terrestre.   15

Ante vuestros ojos, amantes,
Cuando el amor muere,
La vida de la tierra y la vida del mar palidecen
    juntamente;
El amor, cuna adorable para los deseos exaltados,
Los ha vuelto tan lánguidos como pasajeramente
    suele hacerlo   20
El rasguear de una guitarra en el ocio marino
Y la luz del alcohol, aleonada como una cabellera;

---

* En mi barca.

Vuestra guarida melancólica se cubre de sombras
    crepusculares;
Todo queda afanoso y callado.
Así suele quedar el pecho de los hombres   25
Cuando cesa el tierno borboteo de la melodía
    confiada,
Y tras su delicia interrumpida
Un afán insistente puebla el nuevo silencio.

Pobres amantes,
¿De qué os sirvieron las infantiles arras que
    cruzasteis,   30
Cartas, rizos de luz recién cortada, seda cobriza
    o negra ala?
Los atardeceres de manos furtivas,
El trémulo palpitar, los labios que suspiran,
La adoración rendida a un leve sexo vanidoso,
Los ay mi vida y los ay muerte mía,   35
Todo, todo,
Amarillea y cae y huye con el aire que no vuelve.

Oh amantes,
Encadenandos entre los manzanos del edén,
Cuando el amor muere,   40
Vuestra crueldad, vuestra piedad pierde su presa,
Y vuestros brazos caen como cataratas macilentas,
Vuestro pecho queda como roca sin ave,
Y en tanto despreciáis todo lo que no lleve un velo
    funerario,
Fertilizáis con lágrimas la tumba de los sueños,   45
Dejando allí caer, ignorantes como niños,
La libertad, la perla de los días.

Pero tú y yo sabemos,
Río que bajo mi casa fugitiva deslizas tu vida
    experta,
Que cuando el hombre no tiene ligados sus
    miembros por las encantadoras mallas del amor,   50

Cuando el deseo es como una cálida azucena
Que se ofrece a todo cuerpo hermoso que fulja a
    nuestro lado,
Cuánto vale una noche como ésta, indecisa entre
    la primavera última y el estío primero,
Este instante en que oigo los leves chasquidos del
    bosque nocturno,
Conforme conmigo mismo y con la indiferencia
    de los otros,   55
Solo yo con mi vida,
Con mi parte en el mundo.

Jóvenes sátiros
Que vivís en la selva, labios risueños ante el
    exangüe dios cristiano,
A quien el comerciante adora para mejor cobrar su
    mercancía,   60
Pies de jóvenes sátiros,
Danzad más presto cuando el amante llora,
Mientras lanza su tierna endecha [1]
De: «Ah, cuando el amor muere.»
Porque oscura y cruel la libertad entonces ha
    nacido;   65
Vuestra descuidada alegría sabrá fortalecerla,
Y el deseo girará locamente en pos de los hermosos
    cuerpos
Que vivifican el mundo un solo instante.

---

[1] *Endecha:* Canción triste y lamentable, aunque de acentos más suaves que los de la elegía.

EL JOVEN MARINO

El mar, y nada más.

Insaciable, insaciable.
Con pie desnudo ibas sobre la olvidadiza arena,
Dulcemente trastornado, como el hombre cuando
    un placer espera,
Tu cabello seguía la invocación frenética del viento;   5
Todo tú vuelto apasionado albatros[1],
A quien su trágico desear brotaba en alas,
Al único maestro respondías:
El mar, única criatura
Que pudiera asumir tu vida poseyéndote.   10

Tuyo sólo en los ojos no te bastaba,
Ni en el ligero abrazo del nadador indiferente;
Lo querías aún más:
Sus infalibles labios transparentes contra los tuyos
    ávidos.
Tu quebrada cintura contra el argénteo escudo
    de su vientre,   15
Y la vida escapando,
Como sangre sin cárcel,
Desde el fatal olvido en que caías.

Ahí estás ya.
No puedes recordar,   20
Porque ahora tú mismo eres quieto recuerdo;
Y aquella remota belleza,
En tu cuerpo cifrada como feliz columna,
Hoy sólo alienta en mí,
En mí que la revivo bajo esta oscura forma,   25
Que cuando tú vivías
Sobre un ara invisible te adivinaba erguido.

---

[1] *Albatros:* Aves marinas grandes, fuertes, de mucha resistencia en el vuelo por el gran desarrollo de sus alas, excelentes nadadoras y muy voraces.

No te bastaba
El sol de lengua ardiente sobre el negro diamante de
    tu piel,
A lo largo de tantas lentas mañanas, ganadas en ocio
    celeste,   30
Llenas de un áureo polen, igual que la corola de
    alguna flor feliz,
De reposo divino, divina indiferencia;
Caído el cuerpo flexible y seguro, como un arma
    mortal,
Ante la gran criatura enigmática, el mar
    inexpresable,
Sin deseo ni pena, igual a un dios,   35
Que sin embargo hubiera conocido, a semejanza
    del hombre,
Nuestros deseos estériles, nuestras penas perdidas.

Mira también hacia lo lejos
Aquellas oscuras tardes, cuando severas nubes,
Denso enjambre de negras alas,   40
Silencio y zozobra vertían sobre el mar;
Y en tanto las gaviotas encarnaban la angustia del
    aire invadido por la tormenta,
Recuérdale agitado, al mar, sacudiendo su entraña,
Como demente que quisiera arrancar en la luz
El núcleo secreto de su mal,   45
Torciendo en olas su pálido cuerpo,
Su inagotable cuerpo dolido,
Trastornado ante tu amor, también inagotable,
Sin que pudieras llevar sobre su frente atormentada
La concha protectora de una mano.   50

Las gracias vagabundas de abril
Abrieron sus menudas hojas sobre la arena perezosa.
Una juventud nueva corría por las venas de los
    hombres invernales;
Escapaban timideces, escalofríos, pudores
Ante el puñal radiante del deseo,   55

Palabra ensordecedora para la criatura dolida en
 cuerpo y espíritu
Por las terribles mordeduras del amor,
Porque el deseo se yergue sobre los despojos de la
 tormenta
Cuando arde el sol en las playas del mundo.

Mas ¿qué importan a mi vida las playas del mundo? 60
Es ésta solamente quien clava mi memoria,
Porque en ella te vi cruzar, sombrío como una
 negra aurora,
Arrastrando las alas de tu hermosura
Sobre su dilatada curva, semejante a una pomposa rama
Abierta bajo la luz,   65
Con su armadura de altas rocas
Caída hacia las dunas de adelfas y de palmas,
En lánguido paraje del perezoso sur.

Aún ven mis ojos las salinas de sonrosadas aguas,
Los leves molinos de viento   70
Y aquellos menudos cuerpos oscuros,
Parsimoniosamente movibles,
Junto a los bueyes fulvos [2],
Transportando los lunáticos bloques de sal
Sobre las vagonetas, tristes como todo lo que
 pertenece a los trabajos de la tierra,   75
Hasta las anchas barcas resbaladizas sobre el
 pecho del mar.
Quién podría vivir en la tierra
Si no fuera por el mar.

Cuántas veces te vi,
Acariciados los ligeros tobillos por el ancho círculo
 de tu pantalón marino,   80
El pecho y los hombros dilatados sobre la
 armoniosa cintura,

---

[2] *Bueyes fulvos:* Bueyes de color rojizo.

Cubierto voluptuosamente de lana azul como de
   yedra,
El desdén esculpido sobre los duros labios,
Anegarte frente al mar en una contemplación
Más honda que la del hombre frente al cuerpo que
   ama.   85

Cambiantes sentimientos nos enlanzan con este o
   aquel cuerpo,
Y todos ellos no son sino sombras que velan
La forma suprema del amor, que por sí mismo late,
Ciego ante las mudanzas de los cuerpos,
Iluminado por el ardor de su propia llama invencible. 90

Yo te adoraba como cifra de todo cuerpo bello,
Sin velos que mudaran la recóndita imagen del amor;
Más que al mismo amor, más, ¿me oyes?,
Insaciable como tú mismo.
Inagotable como tú mismo;   95
Aun sabiendo que el mar era el único ser de la
   creación digno de ti
Y tu cuerpo el único digno de su inhumana soberbia.

Era el atardecer. Las aves del día
Huyeron ante el furtivo pensamiento de la sombra.
Los hombres descansaban en sus cabañas,   100
Entre la mujer y los hijos,
Desnudos los pies bajo la luz funeral del acetileno[3],
Acechando el sueño en sus yacijas junto al mar;
Como si no pudieran dormir lejos de lo que les
   hace vivir
Y de lo que les hace morir.   105

Un gran silencio, una gran calma
Daba con su presencia el mar;
Pero también latía por el aire adormecido y fresco
   del letal anochecer

---

[3] *Acetileno:* Hidrocarburo gaseoso. Se utiliza para el alumbrado.

Un miedo oscuro
A no se sabe qué pálidos gigantes,   110
Dueños de grisáceas serpientes y negros
    hipocampos[4],
Abriendo las sombrías aguas,
En lucha sus miembros retorcidos con rebeldes
    potencias animales del abismo.

Las barcas, como leves espectros,
Surgían lentamente desde la arena soñolienta,   115
Voluptuosos cuerpos tibios.
Con la gracia del animal que sabe volver los ojos
    implorantes
Hacia las manos de su dueño, dispensadoras de
    protección y de caricias,
Y piensa tristemente que se alejan sin poder
    retenerlas.

No a estas horas,   120
No a estas horas de tregua cobarde,
Al amanecer es cuando debías ir hacia el mar,
    joven marino,
Desnudo como una flor;
Y entonces es cuando debías amarle, cuando el
    mar debía poseerte,
Cuerpo a cuerpo,   125
Hasta confundir su vida con la tuya
Y despertar en ti su inmenso amor
El breve espasmo de tu placer sometido,
Desposados el uno con el otro,
Vida con vida, muerte con muerte.   130

Y una vez, como rosa dejada,
Floto tu cuerpo, apenas deformado por las
    nupciales caricias del mar,
Mas pálidos los labios, lo mismo que si hubieran
    dado paso

---

[4] *Hipocampos:* Caballitos de mar.

A toda su pasión, el ave de la vida;
Igualmente hermoso así, joven marino,   135
Desgarradoramente triste con tu belleza
   inhabitada,
Como cuando tornasolaba la vida tus miembros
   melodiosos.

Cambian las vidas, pero la muerte es única.
Aún oigo aquella voz exangüe, que en su vago
   delirio
Llegó hasta mí, a través de las velas caídas en la
   arena, como alas arrancadas;   140
Alguien que conocía tu ausencia, porque sus ojos
   te vieron muerto, tal una rosa abandonada sobre
   el mar,
Decía lentamente: «Era más ligero que el agua.»

Qué desiertos los hombres,
Cómo chocan sin verse unos a otros sus frentes
   de vergüenza,
Y cuán dulce será rodar, igual que tú, del otro
   lado, en el olvido.   145
Así tu muerte despierta en mí el deseo de la muerte,
Como tu vida despertaba en mí el deseo de la vida.

Las nubes
(1937-1940)

NOCHE DE LUNA

Vida tras vida, fueron
Olvidando los hombres
Aquella diosa virgen
Que misteriosamente, desde el cielo,
Con amor apacible   5
Asiste a sus vigilias
En el silencio dulce de las noches.

Ella ha sido quien viera a los abuelos
Remotos, cuando abordan
En sus pintados barcos,   10
Y ágiles y desnudos se apoderan
Con un trémulo imperio de esta tierra,
Así como el amante
Arrebata y penetra el cuerpo amado.

Sus trabajos vio luego, sus cohabitaciones,   15
Y otros seres menudos,
Inhábiles, gritando entre los brazos
De los dominadores, y sus mujeres lánguidas
Sonreír débilmente a la raza naciente.

Miró sus largas guerras   20
Con pueblos enemigos
Y el azote sagrado
De luchas fratricidas;
Contempló esclavitudes y triunfos,

Prostituciones, crímenes,   25
Prosperidad, traiciones,
El sordo griterío,
Todo el horror humano que salva la hermosura,
Y con ella la calma,
La paz donde brota la historia.   30

También miró el arado
Con el siervo pasando
Sobre el antiguo campo de batalla,
Fertilizado por tanto cuerpo joven;
Y en ese mismo suelo ha visto correr luego   35
Al orgulloso dueño sobre caballos recios,
Mientras la hierba, ortiga y cardo
Brotaban por las vastas propiedades.

Cuánta sangre ha corrido
Ante el destino intacto de la diosa.   40
Cuánto semen viril
Vio surgir entre espasmos
De cuerpos hoy deshechos
En el viento y el polvo,
Cuyos átomos yerran en leves nubes grises,   45
Velando al embeleso de vasta descendencia
Su tranquilo semblante compasivo.

Cuántas claras ruinas,
Con jaramago apenas adornadas,
Como fuertes castillos un día las ha visto;   50
Piedras más elocuentes que los siglos,
Antes holladas por el paso leve
De esbeltas cazadoras, un neblí sobre el puño,
Oblicua la mirada soñolienta
Entre un aburrimiento y un amor clandestino.   55

Sombras, sombras efímeras,
En tanto ella, adolescente
Como en los prados de la edad de oro,
Vierte, azulada urna,

Su embeleso letal   60
Sobre nuevos cuerpos oscuros
Que la primavera enfebrece
Con agudos perfumes vegetales.

Allá tras de las torres, su reflejo
Delata la presencia del mar,   65
Mientras los hombres solitarios duermen
Inermes en su lecho y confiados.
Los enemigos yacen confundidos.
Algo inmenso reposa, aunque la muerte aceche.
Y el mágico reflejo entre los árboles   70
Permite al soñador abandonarse al canto,
Al placer y al reposo,
A lo que siendo efímero se sueña como eterno.

Mas una noche, al contemplar la antigua
Morada de los hombres, sólo ha de ver allá   75
Ese reflejo de su dulce fulgor,
Mudo y vacío entonces,
Estéril tal su hermosura virginal;
Sin que ningunos ojos humanos
Hasta ella se alcen a través de la lágrimas,   80
Definitivamente frente a frente
El silencio de un mundo que ha sido
Y la pura belleza tranquila de la nada.

SCHERZO PARA UN ELFO*

Delicada criatura:
No deseo a mi voz
Que turbe el embeleso
Amarillo del bosque,
Tu elemento nativo,   5
Por los troncos oscuros
Sustentando hasta el cielo.

Yo quisiera, por este
Atardecer traslúcido,
Denso tal un racimo,   10
Trazarte huella o forma,
Pulsando ramas, hojas,
Tú con el viento en duda.

Difuso aroma, vagas
Con paso gris de sueño,   15
Te pierdes en la niebla
Que exhala del estanque,
Pensamiento gracioso
De un dios enamorado.

Inspiras todo el aire,   20
Bajo tu magia abre,
Como una flor, tan libre,
El deseo del hombre
Con un alto reposo
Que alivia de la vida.   25

---

* *Scherzo:* Con esta palabra italiana se designa la composición ge-
neralmente instrumental, de carácter festivo y movimiento animado.
Constituye, por lo regular, uno de los tiempos de la sinfonía y so-
nata clásicas.

Elfo: En la mitología escandinava, genio, espíritu del aire.

El poema está escrito en versos heptasílabos, para dar esa impresión de movimiento animado y festivo propio del *scherzo*.

Siempre incierta, tal eco
De algún labio, a lo lejos,
Entre aliso y aliso[1]
De nórdica blancura,
Vibra tu esbelta música   30
Y en un fuego suspira.

¿Acaso el amor pesa
A tu cuerpo invisible,
Y sus burlas oscuras
Sobre el mundo recuerdan   35
En ti, anhelo eterno,
A nosotros efímeros?

Sonríe, dime, canta,
Si eres tú ese arrebato
Que lleva hojas ardientes,   40
Dejos de tu guirnalda,
Con pasión insaciable
A realizarse en muerte.

¿Mueres tú también, mueres
Como lo hermoso humano,   45
Hijo sutil del bosque?
Te aquietas por el musgo,
Callas entre la niebla,
Alguna nube esculpe,
Iris de leve nácar,   50
Tu hastío de los días.

Aún creo ver tus ojos,
Su malicia serena,
Tras las desnudas cimas,
Por el aire, profundo   55
Y ya frío, con la noche
Que imperiosa se alza.

---

[1] *Aliso:* Árbol de la familia de las betuláceas, con tronco limpio,
corteza pardusca y copa redonda y bien poblada.

SENTIMIENTO DE OTOÑO

Llueve el otoño aún verde como entonces
    Sobre los viejos mármoles,
Con aroma vacío, abriendo sueños,
    Y el cuerpo se abandona.

Hay formas transparentes por el valle,   5
    Embeleso en las fuentes,
Y entre el vasto aire pálido ya brillan
    Unas celestes alas.

Tras de las voces frescas queda el halo
    Virginal de la muerte,   10
Nada pesa ganado ni perdido.
    Lánguido va el recuerdo.

Todo es verdad, menos el odio, yerto
    Como ese gris celaje
Pasando vanamente sobre el oro,   15
    Hecho sombra iracunda.

A LARRA
CON UNAS VIOLETAS

[1837-1937]

Aún se queja su alma vagamente,
El oscuro vacío de su vida.
Mas no pueden pesar sobre esa sombra
Algunas violetas,
Y es grato así dejarlas,   5
Frescas entre la niebla,
Con la alegría de una menuda cosa pura
Que rescatara aquel dolor antiguo.

Quien habla ya a los muertos,
Mudo le hallan los que viven.   10
Y en este otro silencio, donde el miedo impera,
Recoger esas flores una a una
Breve consuelo ha sido entre los días
Cuya huella sangrienta llevan las espaldas
Por el odio cargadas con una piedra inútil.   15

Si la muerte apacigua
Tu boca amarga de Dios insatisfecha,
Acepta un don tan leve, sombra sentimental,
En esa paz que bajo tierra te esperaba,
Brotando en hierba, viento y luz silvestres,   20
El fiel y último encanto de estar solo.

Curado de la vida, por una vez sonríe,
Pálido rostro de pasión y de hastío.
Mira las calles viejas por donde fuiste errante,
El farol azulado que te guiara, carne yerta,   25
Al regresar del baile o del sucio periódico,
Y las fuentes de mármol entre palmas:
Aguas y hojas, bálsamo del triste.

La tierra ha sido medida por los hombres,
Con sus casas estrechas y matrimonios sórdidos,   30
Su venenosa opinión pública y sus revoluciones
Más crueles e injustas que las leyes,
Como inmenso bostezo demoníaco;
No hay sitio en ella para el hombre solo,
Hijo desnudo y deslumbrante del divino
    pensamiento.   35

Y nuestra gran madrastra, mírala hoy deshecha[1],
Miserable y aún bella entre las tumbas grises
De los que como tú, nacidos en su estepa,
Vieron mientras vivían morirse la esperanza,
Y gritaron entonces, sumidos por tinieblas,   40
A hermanos irrisorios que jamás escucharon.

Escribir en España no es llorar, es morir,
Porque muere la inspiración envuelta en humo,
Cuando no va su llama libre en pos del aire.
Así, cuando el amor, el tierno monstruo rubio,   45
Volvió contra ti mismo tantas ternuras vanas,
Tu mano abrió de un tiro, roja y vasta, la muerte.

Libre y tranquilo quedaste en fin un día,
Aunque tu voz sin ti abrió un dejo indeleble.
Es breve la palabra como el canto de un pájaro,   50
Mas un claro jirón puede prenderse en ella
De embriaguez, pasión, belleza fugitivas,
Y subir, ángel vigía que atestigua del hombre,
Allá hasta la región celeste e impasible.

---

[1] La gran madastra deshecha es España.

LAMENTO Y ESPERANZA

Soñábamos algunos cuando niños, caídos
En una vasta hora de ocio solitario
Bajo la lámpara, ante las estampas de un libro,
Con la revolución. Y vimos su ala fúlgida
Plegar como una mies los cuerpos poderosos.   5

Jóvenes luego, el sueño quedó lejos
De un mundo donde desorden e injusticia,
Hinchendo oscuramente las ávidas ciudades,
Se alzaban hasta el aire absorto de los campos.
Y en la revolución pensábamos: un mar   10
Cuya ira azul tragase tanta fría miseria.

El hombre es una nube de la que el sueño es viento.
¿Quién podrá al pensamiento separarlo del sueño?
Sabedlo bien vosotros, los que envidiéis mañana
En la calma este soplo de muerte que nos lleva   15
Pisando entre ruinas un fango con rocío de sangre.

Un continente de mercaderes y de histriones[1],
Al acecho de este loco país, está esperando
Que vencido se hunda, solo ante su destino,
Para arrancar jirones de su esplendor antiguo.   20
Le alienta únicamente su propia gran historia
    dolorida.

Si con dolor el alma se ha templado, es invencible;
Pero, como el amor, debe el dolor ser mudo:
No lo digáis, sufridlo en esperanza. Así este
    pueblo iluso
Agonizará antes, presa ya de la muerte,   25
Y vedle luego abierto, rosa eterna en los mares.

---

[1] *Histriones.* Histrión. El que representaba disfrazado en la co-
media o tragedia antigua. El autor utiliza la palabra con un sentido
de hipocresía.

LA FUENTE

Hacia el pálido aire se yergue mi deseo,
Fresco rumor insomne en fondo de verdura,
Como esbelta columna, mas truncada su gracia
Corona de las aguas la calma ya celeste.

Plátanos y castaños en lisas avenidas   5
Se llevan a lo lejos mi suspiro diáfano,
De las sendas más claras a las nubes ligeras,
Con el lento aleteo de las palomas grises.

Al pie de las estatuas por el tiempo vencidas,
Mientras copio su piedra, cuyo encanto ha fijado   10
Mi trémulo esculpir de líquidos momentos,
Única entre las cosas, muero y renazco siempre.

Este brotar continuo viene de la remota
Cima donde cayeron dioses, de los siglos
Pasados, con un dejo de paz, hasta la vida   15
Que dora vagamente mi azul ímpetu helado.

Por mí yerran al viento apaciguados dejos
De las viejas pasiones, glorias, duelos de antaño,
Y son, bajo la sombra naciente de la tarde,
Misterios junto al vano rumor de los efímeros.   20

El hechizo del agua detiene los instantes:
Soy divino rescate a la pena del hombre,
Forma de lo que huye de la luz a la sombra,
Confusión de la muerte resuelta en melodía.

ELEGÍA ESPAÑOLA [II]

A Vicente Aleixandre

Ya la distancia entre los dos abierta
Se lleva el sufrimiento, como nube
Rota en lluvia olvidada, y la alegría,
Hermosa claridad desvanecida;
Nada altera entre tú, mi tierra, y yo,   5
Pobre palabra tuya, el invisible
Fluir de los recuerdos, sustentando
Almas con la verdad de tu alma pura.
Sin luchar contra ti ya asisto inerte
A la discordia estéril que te cubre,   10
Al viento de locura que te arrastra.
Tan sólo Dios vela sobre nosotros,
Arbitro inmemorial del odio eterno.

Tus pueblos han ardido y tus campos
Infecundos dan cosecha de hambre;   15
Rasga tu aire el ala de la muerte;
Tronchados como flores caen tus hombres
Hechos para el amor y la tarea;
Y aquellos que en la sombra suscitaron
La guerra, resguardados en la sombra,   20
Disfrutan su victoria. Tú en silencio,
Tierra, pasión única mía, lloras
Tu soledad, tu pena y tu vergüenza.

Fiel aún, extasiado como el pájaro
Que en primavera hacia su nido antiguo   25
Llegaba a ti y en ti dejaba el vuelo,
Con la atracción remota de un encanto
Ineludible, rosa del destino,
Mi espíritu se aleja de estas nieblas,
Canta su queja por tu cielo vasto,   30
Mientras el cuerpo queda vacilante,
Perdido, lejos, entre sueño y vida,
Y oye el susurro lento de las horas.

Si nunca más pudieran estos ojos
Enamorados reflejar tu imagen.   35
Si nunca más pudiera por tus bosques,
El alma en paz caída en tu regazo,
Soñar el mundo aquel que yo pensaba
Cuando la triste juventud lo quiso.
Tú nada más, fuerte torre en ruinas,   40
Puedes poblar mi soledad humana,
Y esta ausencia de todo en ti se duerme.
Deja tu aire ir sobre mi frente,
Tu luz sobre mi pecho hasta la muerte,
Única gloria cierta que aún deseo.   45

NIÑO MUERTO

Si llegara hasta ti bajo la hierba
Joven como tu cuerpo, ya cubriendo
Un destierro más vasto con la muerte,
De los amigos la voz fugaz y clara,
Con oscura nostalgia quizá pienses   5
Que tu vida es materia del olvido.

Recordarás acaso nuestros días,
Este dejarse ir en la corriente
Insensible de trabajos y penas,
Este apagarse lento, melancólico,   10
Como las llamas de tu hogar antiguo,
Como la lluvia sobre aquel tejado.

Tal vez busques el campo de tu aldea,
El galopar alegre de los potros,
La amarillenta luz sobre las tapias,   15
La vieja torre gris, un lado en sombra,
Tal una mano fiel que te guiara
Por las sendas perdidas de la noche.

Recordarás cruzando el mar un día
Tu leve juventud con tus amigos   20
En flor, así alejados de la guerra.
La angustia resbalaba entre vosotros
Y el mar sombrío al veros sonreía,
Olvidando que él mismo te llevaba
A la muerte tras de un corto destierro.   25

Yo hubiera compartido aquellas horas
Yertas de un hospital. Tus ojos solos
Frente a la imagen dura de la muerte.
Ese sueño de Dios no lo aceptaste.
Así como tu cuerpo era de frágil,   30
Enérgica y viril era tu alma.

De un solo trago largo consumiste
La muerte tuya, la que te destinaban,
Sin volver un instante la mirada
Atrás, igual que el hombre cuando lucha.   35
Inmensa indiferencia te cubría
Antes de que la tierra te cubriera.

El llanto que tú mismo no has llorado,
Yo lo lloro por ti. En mí no estaba
El ahuyentar tu muerte como a un perro   40
Enojoso. E inútil es que quiera
Ver tu cuerpo crecido, verde y puro,
Pasando como pasan estos otros
De tus amigos, por el aire blanco
De los campos ingleses, vivamente.   45

Volviste la cabeza contra el muro
Con el gesto de un niño que temiese
Mostrar fragilidad en su deseo.
Y te cubrió la eterna sombra larga.
Profundamente duermes. Mas escucha: 50
Yo quiero estar contigo; no estás solo.

LA VISITA DE DIOS

Pasada se halla ahora la mitad de mi vida.
El cuerpo sigue en pie y las voces aún giran
Y resuenan con encanto marchito en mis oídos,
Mas los días esbeltos ya se marcharon lejos;
Sólo recuerdos pálidos de su amor me han dejado.   5
Como el labrador al ver su trabajo perdido
Vuelve al cielo los ojos esperando la lluvia,
También quiero esperar en esta hora confusa
Unas lágrimas divinas que aviven mi cosecha.

Pero hondamente fijo queda el desaliento,   10
Como huésped oscuro de mis sueños.
¿Puedo esperar acaso? Todo se ha dado al hombre
Tal distracción efímera de la existencia;
A nada puede unir este ansia suya que reclama
Una pausa de amor entre la fuga de las cosas.   15
Vano sería dolerse del trabajo, la casa, los amigos
      perdidos
En aquel gran negocio demoníaco de la guerra.

Estoy en la ciudad alzada para su orgullo por el rico,
Adonde la miseria oculta canta por las esquinas
O expone dibujos que me arrasan de lágrimas los
      ojos.   20
Y mordiendo mis puños con tristeza impotente
Aún cuento mentalmente mis monedas escasas,
Porque un trozo de pan aquí y unos vestidos
Suponen un esfuerzo mayor para lograrlos
Que el de los viejos héroes cuando vencían   25
Monstruos, rompiendo encantos con su lanza.

La revolución renace siempre, como un fénix[1]
Llameante en el pecho de los desdichados.
Esto lo sabe el charlatán bajo los árboles

---

[1] *Fénix.* Ave fabulosa, que los antiguos creyeron que era única y que renacía de sus cenizas.

175

De las plazas, y su baba argentina, su cascabel
    sonoro,   30
Silbando entre las hojas, encanta al pueblo
Robusto y engañado con maligna elucuencia,
Y canciones de sangre acunan su miseria.

Por mi dolor comprendo que otros inmensos sufren
Hombres callados a quienes falta el ocio   35
Para arrojar al cielo su tormento. Mas no puedo
Copiar su enérgico silencio, que me alivia
Este consuelo de la voz, sin tierra y sin amigo,
En la profunda soledad de quien no tiene
Ya nada entre sus brazos, sino el aire en torno,   40
Lo mismo que un navío al alejarse sobre el mar.

¿Adónde han ido las viejas compañeras del hombre?
Mis zurcidoras de proyectos, mis tejedoras de
    esperanzas
Han muerto. Sus agujas y madejas reposan
Con polvo en un rincón, sin la melodía del
    trabajo[2],   45
Como una sombra aislada al filo de los días,
Voy repitiendo gestos y palabras mientras lejos
    escuho
El inmenso bostezo de los siglos pasados.

El tiempo, ese blanco desierto ilimitado,
Esa nada creadora, amenaza a los hombres   50
Y con luz inmortal se abre ante los deseos juveniles.
Unos quieren asir locamente su mágico reflejo,
Mas otros le conjuran con un hijo
Ofrecido en los brazos como víctima,
Porque de nueva vida se mantiene su vida   55
Como el agua del agua llorada por los hombres.

---

[2] En estos versos (42-45) el autor parece referirse a las Parcas.
Cada una de las tres deidades hermanas, Cloto, Láquesis y Átropos,
con figuras de viejas, de las cuales la primera hilaba, la segunda de-
vanaba y la tercera cortaba el hilo de la vida del hombre. Simbo-
lizaban para los paganos la fatalidad que dispone de los destinos
humanos.

Pero a ti, Dios, ¿con qué te aplacaremos?
Mi sed eras tú, tú fuiste mi amor perdido,
Mi casa rota, mi vida trabajada, y la casa y la
  vida
De tantos hombres como yo a la deriva   60
En el naufragio de un país. Levantados de naipes,
Uno tras otro iban cayendo mis pobres paraísos.
¿Movió tu mano el aire que fuera derribándolos
Y tras ellos, en el profundo abatimiento, en el
  hondo vacío,
Se alza al fin ante mí la nube que oculta tu
  presencia?   65

No golpees airado mi cuerpo con tu rayo;
Si el amor no eres tú, ¿quién lo será en tu mundo?
Compadécete al fin, escucha este murmullo
Que ascendiendo llega como una ola
Al pie de tu divina indiferencia   70
Mira las tristes piedras que llevamos
Ya sobre nuestros hombros para enterrar tus dones:
La hermosura, la verdad, la justicia, cuyo afán
  imposible
Tú sólo eras capaz de infundir en nosotros.
Si ellas murieran hoy, de la memoria tú te borrarías   75
Como un sueño remoto de los hombres que fueron.

ATARDECER EN LA CATEDRAL

Por las calles desiertas, nadie. El viento
Y la luz sobre las tapias
Que enciende los aleros al sol último.
Tras una puerta se queja el agua oculta.
Ven a la catedral, alma de soledad temblando.   5

Cuando el labrador deja en esta hora
Abierta ya la tierra con los surcos,
Nace de la obra hecha gozo y calma.
Cerca de Dios se halla el pensamiento.

Algunos chopos secos, llama ardida   10
Levantan por el campo, como el humo
Alegre en los tejados de las casas.
Vuelve un rebaño junto al arroyo oscuro
Donde duerme la tarde entre la hierba.
El frío está naciendo y es el cielo más hondo.   15

Como un sueño de piedra, de música callada,
Desde la flecha erguida de la torre
Hasta la lonja de anchas losas grises,
La catedral extática aparece,
Toda reposo: vidrio, madera, bronce,   20
Fervor puro a la sombra de los siglos.

Una vigilia dicen esos ángeles
Y su espada desnuda sobre el pórtico,
Florido con sonrisas por los santos viejos,
Como huerto de otoño que brotara   25
Musgos entre las rosas esculpidas.

Aquí encuentran la paz los hombres vivos,
Paz de los odios, paz de los amores,
Olvido dulce y largo, donde el cuerpo
Fatigado se baña en las tinieblas.   30

Entra en la catedral, ve por las naves altas
De esbelta bóveda, gratas a los pasos
Errantes sobre el mármol, entre columnas,
Hacia el altar, ascua serena,
Gloria propicia al alma solitaria.   35

Como el niño descansa, porque cree
En la fuerza prudente de su padre;
Con el vivir callado de las cosas
Sobre el haz inmutable de la tierra,
Transcurren estas horas en el templo.   40

No hay lucha ni temor, no hay pena ni deseo.
Todo queda aceptado hasta la muerte
Y olvidado tras de la muerte, contemplando,
Libres del cuerpo, y adorando,
Necesidad del alma exenta de deleite.   45

Apagándose van aquellos vidrios
Del alto ventanal, y apenas si con oro
Triste se irisan débilmente. Muere el día,
Pero la paz perdura postrada entre la sombra.

El suelo besan quedos unos pasos   50
Lejanos. Alguna forma, a solas,
Reza caída ante una vasta reja
Donde palpita el ala de una llama amarilla.

Llanto escondido moja el alma,
Sintiendo la presencia de un poder misterioso   55
Que el consuelo creara para el hombre,
Sombra divina hablando en el silencio.

Aromas, brotes vivos surgen,
Afirmando la vida, tal savia de la tierra
Que irrumpe en milagrosas formas verdes,   60
Secreto entre los muros de este templo,
El soplo animador de nuestro mundo
Pasa y orea la noche de los hombres.

TRISTEZA DEL RECUERDO

Por las esquinas vagas de los sueños,
Alta la madrugada, fue conmigo
Tu imagen bien amada, como un día
En tiempos idos, cuando Dios lo quiso.

Agua ha pasado por el río abajo,   5
Hojas verdes perdidas llevó el viento
Desde que nuestras sombras vieron quedas
Su afán borrarse con el sol traspuesto.

Hermosa era aquella llama, breve
Como todo lo hermoso: luz y ocaso.   10
Vino la noche honda, y sus cenizas
Guardaron el desvelo de los astros.

Tal jugador febril ante una carta,
Un alma solitaria fue la apuesta
Arriesgada y perdida en nuestro encuentro;   15
El cuerpo entre los hombres quedó en pena.

¿Quién dice que se olvida? No hay olvido.
Mira a través de esta pared de hielo
Ir esa sombra hacia la lejanía
Sin el nimbo radiante del deseo.   20

Todo tiene su precio. Yo he pagado
El mío por aquella antigua gracia;
Y así despierto, hallando tras mi sueño
Un lecho solo, afuera yerta el alba.

LÁZARO*

Era de madrugada.
Después de retirada la piedra con trabajo,
Porque no la materia sino el tiempo
Pesaba sobre ella,
Oyeron una voz tranquila   5
Llamándome, como un amigo llama
Cuando atrás queda alguno
Fatigado de la jornada y cae la sombra.
Hubo un silencio largo.
Así lo cuentan ellos que lo vieron.   10

Yo no recuerdo sino el frío
Extraño que brotaba
Desde la tierra honda, con angustia
De entresueño, y lento iba
A despertar el pecho,   15
Donde insistió con unos golpes leves,
Ávido de tornarse sangre tibia.
En mi cuerpo dolía
Un dolor vivo o un dolor soñado.

Era otra vez la vida.   20
Cuando abrí los ojos
Fue el alba pálida quien dijo
La verdad. Porque aquellos
Rostros ávidos, sobre mí estaban mudos,
Mordiendo un sueño vago inferior al milagro,   25
Como rebaño hosco
Que no a la voz sino a la piedra atiende,
Y el sudor de sus frentes
Oí caer pesado entre la hierba.

* Esta figura del Evangelio inspira el poema. La situación del
poeta y del ambiente que le rodea propician esta composición. El mismo autor dice en *Historial de un libro, Prosa completa,* pág. 922:
«Lázaro, una de mis composiciones preferidas, quiso expresar aquella
sorpresa desencantada, como si, tras de morir, volviese otra vez a la
vida.» El poema está escrito entre la terminación de la Guerra civil
española y el inicio de la Segunda Guerra Mundial.

Alguien dijo palabras
De nuevo nacimiento.
Mas no hubo allí sangre materna
Ni vientre fecundado
Que crea con dolor nueva vida doliente.
Sólo anchas vendas, lienzos amarillos   35
Con olor denso, desnudaban
La carne gris y fláccida como fruto pasado;
No el terso cuerpo oscuro, rosa de los deseos,
Sino el cuerpo de un hijo de la muerte.

El cielo rojo abría hacia lo lejos   40
Tras de olivos y alcores;
El aire estaba en calma.
Mas temblaban los cuerpos,
Como las ramas cuando el viento sopla,
Brotando de la noche con los brazos tendidos   45
Para ofrecerme su propio afán estéril.
La luz me remordía
Y hundí la frente sobre el polvo
Al sentir la pereza de la muerte.

Quise cerrar los ojos,   50
Buscar la vasta sombra,
La tiniebla primaria
Que su venero[1] esconde bajo el mundo
Lavando de vergüenzas la memoria.
Cuando un alma doliente en mis entrañas   55
Gritó, por las oscuras galerías
Del cuerpo, agria, desencajada,
Hasta chocar contra el muro de los huesos
Y levantar mareas febriles por la sangre.

Aquel que con su mano sostenía   60
La lámpara testigo del milagro,
Mató brusco la llama,
Porque ya el día estaba con nosotros.

---

[1] *Venero:* Manantial de agua y en sentido figurado, origen y principio de donde procede una cosa.

Una rápida sombra sobrevino.
Entonces, hondos bajo una frente, vi unos ojos   65
Llenos de compasión, y hallé temblando un alma
Donde mi alma se copiaba inmensa,
Por el amor dueña del mundo.

Vi unos pies que marcaban la linde de la vida,
El borde de una túnica incolora   70
Plegada, resbalando
Hasta rozar la fosa, como un ala
Cuando a subir tras de la luz incita.
Sentí de nuevo el sueño, la locura
Y el error de estar vivo,   75
Siendo carne doliente día a día,
Pero él me había llamado
Y en mí no estaba ya sino seguirle.

Por eso, puesto en pie, anduve silencioso,
Aunque todo para mí fuera extraño y vano,   80
Mientras pensaba: así debieron ellos,
Muerto yo, caminar llevándome a la tierra.
La casa estaba lejos;
Otra vez vi sus muros blancos
Y el ciprés del huerto.   85
Sobre el terrado había una estrella pálida.
Dentro no hallamos lumbre
En el hogar cubierto de ceniza.

Todos le rodearon en la mesa.
Encontré el pan amargo, sin sabor las frutas,   90
El agua sin frescor, los cuerpos sin deseo;
La palabra hermandad sonaba falsa,
Y de la imagen del amor quedaban
Sólo recuerdos vagos bajo el viento.
Él conocía que todo estaba muerto   95
En mí, que yo era un muerto
Andando entre los muertos.

Sentado a su derecha me veía
Como aquel que festejan al retorno.
La mano suya descansaba cerca   100
Y recliné la frente sobre ella
Con asco de mi cuerpo y de mi alma.
Así pedí en silencio, como se pide
A Dios, porque su nombre,
Más vasto que los templos, los mares, las estrellas,   105
Cabe en el desconsuelo del hombre que está sólo,
Fuerza para llevar la vida nuevamente.

Así rogué, con lágrimas,
Fuerza de soportar mi ignorancia resignado,
Trabajando, no por mi vida ni mi espíritu,   110
Mas por una verdad en aquellos ojos entrevista
Ahora. La hermosura es paciencia.
Sé que el lirio del campo,
Tras de su humilde oscuridad en tantas noches
Con larga espera bajo tierra,   115
Del tallo verde erguido a la corola alba
Irrumpe un día en gloria triunfante.

IMPRESIÓN DE DESTIERRO

Fue la pasada primavera,
Hace ahora casi un año,
En un salón del viejo Temple[1], en Londres,
Con viejos muebles. Las ventanas daban,
Tras edificios viejos, a lo lejos,   5
Entre la hierba el gris relámpago del río.
Todo era gris y estaba fatigado
Igual que el iris de una perla enferma.

Eran señores viejos, viejas damas,
En los sombreros plumas polvorientas;   10
Un susurro de voces allá por los rincones,
Junto a mesas con tulipanes amarillos,
Retratos de familia y teteras vacías.
La sombra que caía
Con un olor a gato,   15
Despertaba ruidos en cocinas.

Un hombre silencioso estaba
Cerca de mí. Veía
La sombra de su largo perfil algunas veces
Asomarse abstraído al borde de la taza,   20
Con la misma fatiga
Del muerto que volviera
Desde la tumba a una fiesta mundana.

En los labios de alguno,
Allá por los rincones   25
Donde los viejos juntos susuraban,
Densa como una lágrima cayendo,
Brotó de pronto una palabra: España,
Un cansancio sin nombre
Rodaba en mi cabeza.   30
Encendieron las luces. Nos marchamos.

---

[1] *Temple:* Iglesias fundadas por los templarios. Una de ellas está en Londres, y es a la que se refiere el autor.

Tras largas escaleras casi a oscuras
Me hallé luego en la calle,
Y a mi lado, al volverme,
Vi otra vez a aquel hombre silencioso,   35
Que habló indistinto algo
Con acento extranjero,
Un acento de niño en voz enevejecida.

Andando me seguía
Como si fuera solo bajo un peso invisible,   40
Arrastrando la losa de su tumba;
Mas luego se detuvo.
«¿España?», dijo. «Un nombre.
España ha muerto.» Había
Una súbita esquina en la calleja.   45
Le vi borrarse entre la sombra húmeda.

JARDÍN ANTIGUO*

Ir de nuevo al jardín cerrado,
Que tras los arcos de la tapia,
Entre magnolios, limoneros,
Guarda el encanto de las aguas.

Oír de nuevo en el silencio,   5
Vivo de trinos y de hojas,
El susurro tibio del aire
Donde las almas viejas flotan.

Ver otra vez el cielo hondo
A lo lejos, la torre esbelta   10
Tal flor de luz sobre las palmas:
Las cosas todas siempre bellas.

Sentir otra vez, como entonces,
La espina aguda del deseo,
Mientras la juventud pasada   15
Vuelve. Sueño de un dios sin tiempo.

_____

* En este poema se evoca con nostalgia de desterrado de Sevilla,
sus jardines y sus fuentes. La torre mencionada en el verso 10 es la
Giralda.

LA ADORACIÓN DE LOS MAGOS

I

Vigilia

Melchor

La soledad. La noche. La terraza.
La luna silenciosa en las columnas.
Junto al vino y las frutas, mi cansancio.
Todo lo cansa el tiempo, hasta la dicha,
Perdido su sabor, después amarga,　　　　　　　5
Y hoy sólo encuentro en los demás mentira,
Aquí en mi pecho aburrimiento y miedo.
Si la leyenda mágica se hiciera
Realidad algún día.

　　　　　　　　　　La profética　　　　　10
Estrella, que naciendo de las sombras
Pura y clara, trazara sobre el cielo,
Tal sobre faz etíope una lágrima,
La estela misteriosa de los dioses.
Ha de encarnarse la verdad divina　　　　15
Donde oriente esa luz.

　　　　　　　　　　¿Será la magia,
Ida la juventud con su deseo,
Posible todavía? Si yo pienso
Aquí, bajo los ojos de la noche,　　　　　20
No es menor maravilla: si yo vivo,
Bien puede un Dios vivir sobre nosotros.
Mas nunca nos consuela un pensamiento,
Sino la gracia muda de las cosas.

Qué dulce está la noche. Cuando el aire   25
A la terraza trae desde lejos
Un aroma de nardo y, como un eco,
El son adormecido de las aguas,
Siento animarse en mí la forma vaga
De la edad juvenil con su dulzura.   30

Así al tiempo sin fondo arroja el hombre
Consuelos ilusorios, penas ciertas,
Y así alienta el deseo. Un cuerpo solo,
Arrullando su miedo y su esperanza,
Desde la sombra pasa hacia la sombra.   35

Mas tengo sed. Lágrimas de la viña,
Frescas al labio con frescor ardiente,
Tal si un rayo de sol atravesara
La neblina. Delicia de los frutos
De piel tersa y oscura, como un cuerpo   40
Ofrecido en la rama del deseo.

Señor, danos la paz de los deseos
Satisfechos, de las vidas cumplidas.
Ser tal la flor que nace y luego abierta
Respira en paz, cantando bajo el cielo   45
Con luz de sol, aunque la muerte exista:
La cima ha de anegarse en la ladera.

Demonio

Gloria a Dios en las alturas del cielo,
Tierra sobre los hombres en su infierno.

Melchor

Sin que su abismo lo profane el alba,   50
Pálida está la noche. Y esa estrella
Más pura que los rayos matinales,
Al dar su luz palpita como sangre
Manando alegremente de la herida.
¡Pronto, Eleazar, aquí!   55

                    Hombres que duermen
Y de un sueño de siglos Dios despierta.
Que enciendan las hogueras en los montes,
Llevando el fuego rápido la nueva
A las lindes de reinos tributarios.   60
Al alba he de partir. Y que la muerte
No me ciegue, mi Dios, sin contemplarte.

II

LOS REYES

Baltasar

Como pastores nómadas, cuando hiere la espada del
    invierno,
Tras una estrella incierta vamos, atravesando de noche
    los desiertos,
Acampados de día junto al muro de alguna ciudad
    muerta,   65
Donde aúllan chacales; mientras, abandonada
    nuestra tierra,
Sale su cetro a plaza, para ambiciosos o
    charlatanes que aún exploten
El viejo afán humano de atropellar la ley, el orden.
Buscamos la verdad, aunque verdades en abstracto
    son cosa innecesaria,
Lujo de soñadores, cuando bastan menudas
    verdades acordadas.   70
Mala cosa es tener el corazón henchido hasta dar
    voces, clamar por la verdad, por la justicia.
No se hizo el profeta para el mundo, sino el dúctil
    sofista
Que toma el mundo como va: guerras, esclavitudes,
    cárceles y verdugos
Son cosas naturales, y la verdad es sueño, menos
    que sueño, humo.

Gaspar

Amo el jardín, cuando abren las flores serenas del
    otoño,   75
El rumor de los árboles, cuya cima dora la luz
    todo reposo,

Mientras por la avenida el agua esbelta baila sobre
el mármol
Y a lo lejos se escucha, entre el aire más denso,
un pájaro.
Cuando la noche llega, y desde el río un viento frío
corre
Sobre la piel desnuda, llama la casa al hombre,   80
Hecha voz tibia, entreabiertos sus muros como
una concha oscura,
Con la perla del fuego, donde sueño y deseo juntan
sus luces puras.
Un cuerpo virgen junto al lecho aguarda desnudo,
temeroso,
Los brazos del amante, cuando a la madrugada
penetra y duele el gozo.
Esto es la vida. ¿Qué importan la verdad o el
poder junto a esto?   85
Vivo estoy. Dejadme así pasar el tiempo en
embeleso.

Melchor

No hay poder sino en Dios, en Dios sólo perdura
la delicia;
El mar fuerte es su brazo, la luz alegre su sonrisa.
Dejad que el ambicioso con sus torres alzadas
oscurezca la tierra;
Pasto serán del huracán, con polvo y sombra
confundiéndolas.   90
Dejad que el lujurioso bese y muerda, espasmo
tras espasmo;
Allá en lo hondo siente la indiferencia virgen de
los huesos castrados.
¿Por qué os doléis, oh reyes, del poder y la dicha
que atrás quedan?
Aunque mi vida es vieja no vive en el pasado, sino
espera;

Espera los momentos más dulces, cuando al alma
    regale   95
La gracia, y el cuerpo sea al fin risueño, hermoso
    e ignorante.
Abandonad el oro y los perfumes, que el oro pesa y
    los aromas aniquilan.
Adonde brilla desnuda la verdad nada se necesita.

Baltasar

Antífona[1] elocuente, retórica profética de raza a
    quien escapa con el poder la vida.
Pero mi pueblo es joven, es fuerte, y diferente
    del tuyo israelita.   100

Gaspar

Si el beso y si la rosa codicio, indiferente hacia los dioses
    todos,
Es porque beso y rosa pasan. Son más dulces los
    efímeros gozos.

Melchor

Locos enamorados de las sombras. ¿Olvidáis, tributarios
Como son vuestros reinos del mío, que aún puedo
    sujetaros
A seguir entre siervos descalzos el rumbo de mi
    estrella?   105
¿Qué es soberbia o lujuria ante el miedo, el gran
    pecado, la fuerza de la tierra?

---

[1] *Antífona:* Breve pasaje, tomado por lo común de las Sagradas
Escrituras, que se canta o reza antes y después de los salmos, y de los
cánticos en las horas canónicas, y guarda relación con el oficio propio
del día

Baltasar

Con tu verdad pudiera, si la hallamos, alzar un
gran imperio.

Gaspar

Tal vez esa verdad, como una primavera, abra
rojos deseos.

III

PALINODIA DE LA ESPERANZA DIVINA *

Era aquel que cruzábamos, camino
Abandonado entre arenales,   110
Con una higuera seca, un pozo, y el asilo
De una choza desierta bajo el frío.
Lejos, subiendo entre unos riscos,
Iba el pastor junto a sus flacas cabras negras.
Cuando tras de la noche larga la luz vino,   115
Irisando la escarcha sobre nuestros vestidos,
Faltas de convicción las cosas escaparon
Como en un sueño interrumpido.

Padecíamos hambre, gran fatiga.
Al lado de la choza hallamos una viña   120
Donde un racimo quedaba todavía,
Seco, que ni los pájaros lo habían
Querido. Nosotros lo tomamos:
De polvo y agrio vino el paladar teñía.
Era bueno el descanso, pero   125
En quietud la indiferencia del paisaje aísla,
Y añoramos la marcha, la fiebre de la ida.

Vimos la estrella hacia lo alto
Que estaba inmóvil, pálida como el agua
En la irrupción del día, una respuesta dando   130
Con su brillo tardío del milagro
Sobre la choza. Los muros sin cobijo
Y el dintel roto se abrían hacia el campo,
Desvalidos. Nuestro fervor helado
Se volvió como el viento de aquel páramo.   135

---

  * *Palinodia:* Retractación pública de lo que se había dicho, reconocer el yerro propio. Los Magos se desengañan al ver la pobreza
de Jesús niño. Es un poema lleno de desilusión, al encontrar los
reyes algo muy distinto de lo que esperaban

Dimos el alto. Todos descabalgaron.
Al entrar en la choza, refugiados
Una mujer y un viejo sólo hallamos.

Pero alguien más había en la cabaña:
Un niño entre sus brazos la mujer guardaba.   140
Esperamos un dios, una presencia
Radiante e imperiosa, cuya vista es la gracia,
Y cuya privación idéntica a la noche
Del amante celoso sin la amada.
Hallamos una vida como la nuestra humana,   145
Gritando lastimosa, con ojos que miraban
Dolientes, bajo el peso de su alma
Sometida al destino de las almas,
Cosecha que la muerte ha de segarla.

Nuestros dones, aromas delicados y metales puros,   150
Dejamos sobre el polvo, tal si la ofrenda rica
Pudiera hacer al dios. Pero ninguno
De nosotros su fe viva mantuvo,
Y la verdad buscada sin valor quedó toda,
El mundo pobre fue, enfermo, oscuro.   155
Añoramos nuestra corte pomposa, las luchas y las
     guerras,
O las salas templadas, los baños, la sedosa
Carne propicia de cuerpos aún no adultos,
O el reposo del tiempo en el jardín nocturno,
Y quisimos ser hombres sin adorar a dios alguno.   160

IV

SOBRE EL TIEMPO PASADO

Mira cómo la luz amarilla de la tarde
Se tiende con abrazo largo sobre la tierra
De la ladera, dorando el gris de los olivos
Otoñales, ya henchidos por los frutos maduros;

Mira allá las marismas de niebla luminosa.   165
Aquí, año tras año, nuestra vida transcurre,
Llevando los rebaños de día por el llano,
Junto al herboso cauce del agua enfebrecida;

De noche hacia el abrigo del redil y la choza.
Nunca vienen los hombres por estas soledades,   170
Y apenas si una vez les vemos en el zoco
Del mercado vecino, cuando abre la semana.

Esta paz es bien dulce. Callada va la alondra
Al gozar de sus alas entre los aires claros.
Mas la paz, que a las cosas en ocio santifica,   175
Aviva para el hombre cosecha de recuerdos.

Tiempo atrás, siendo joven, divisé una mañana
Cruzar por la llanura un extraño cortejo:
Jinetes en camellos, cubiertos de ropajes
Cenicientos, que daban un destello de oro.   180

Venían de los montes, pasados los desiertos,
De los reinos que lindan con el mar y las nieves,
Por eso era su marcha cansada sobre el polvo
Y en sus ojos dormía una pregunta triste.

Eran reyes que el ocio y poder enloquecieron,   185
En la noche siguiendo el rumbo de una estrella,
Heraldo de otro reino más rico que los suyos.
Pero vieron la estrella pararse en este llano,

Sobre la choza vieja, albergue de pastores.
Entonces fue refugio dulce entre los caminos   190
De una mujer y un hombre sin hogar ni dineros:
Un hijo blanco y débil les dio la madrugada.

El grito de las bestias acampando en el llano
Resonó con las voces en extraños idiomas,
Y al entrar en la choza descubrieron los reyes   195
La miseria del hombre, de que antes no sabían.

Luego, como quien huye, el regreso emprendieron.
También los caminantes pasaron a otras tierras
Con su niño en los brazos. Nada supe de ellos.
Soles y lunas hubo. Joven fui. Viejo soy.   200

Gentes en el mercado hablaron de los reyes:
Uno muerto al regreso, de su tierra distante;
Otro, perdido el trono, esclavo fue, o mendigo;
Otro a solas viviendo, presa de la tristeza.

Buscaban un dios nuevo, y dicen que le hallaron.   205
Yo apenas vi a los hombres; jamás he visto dioses.
¿Cómo ha de ver los dioses un pastor ignorante?
Mira el sol desangrado que se pone a lo lejos.

V

EPITAFIO

La delicia, el poder, el pensamiento
Aquí descansan. Ya la fiebre es ida.   210
Buscaron la verdad, pero al hallarla
    No creyeron en ella.

Ahora la muerte acuna sus deseos,
Saciándolos al fin. No compadezcas
Su sino, más feliz que el de los dioses   215
    Sempiternos, arriba.

VIOLETAS

Leves, mojadas, melodiosas,
Su oscura luz morada insinuándose
Tal perla vegetal tras verdes valvas,
Son un grito de marzo, un sortilegio
De alas nacientes por el aire tibio.   5

Frágiles, fieles, sonríen quedamente
Con mucha incitación, como sonrisa
Que brota desde un fresco labio humano.
Mas su forma graciosa nunca engaña:
Nada prometen que después traicionen.   10

Al marchar victoriosas a la muerte
Sostienen un momento, ellas tan frágiles,
El tiempo entre sus pétalos. Así su instante
   alcanza,
Norma para lo efímero que es bello,
A ser vivo embeleso en la memoria.   15

Como quien espera el alba
(1941-1944)

LAS RUINAS

Silencio y soledad nutren la hierba
Creciendo oscura y fuerte entre ruinas,
Mientras la golondrina con grito enajenado
Va por el aire vasto, y bajo el viento
Las hojas en las ramas tiemblan vagas   5
Como al roce de cuerpos invisibles.

Puro, de plata nebulosa, ya levanta
El agudo creciente de la luna
Vertiendo por el campo paz amiga,
Y en esta luz incierta las ruinas de mármol   10
Son construcciones bellas, musicales,
Que el sueño completó.

              Esto es el hombre. Mira
La avenida de tumbas y cipreses, y las calles
Llevando al corazón de la gran plaza   15
Abierta a un horizonte de colinas:
Todo está igual, aunque una sombra sea
De lo que fue hace siglos, mas sin gente.

Levanta ese titánico acueducto
Arcos rotos y secos por el valle agreste   20
Adonde el mirto crece con la anémona,
En tanto el agua libre entre los juncos
Pasa por la enigmática elocuencia
De su hermosura que venció a la muerte.

En las tumbas vacías, las urnas sin cenizas,   25
Conmemoran aún relieves delicados
Muertos que ya no son sino la inmensa muerte
    anónima,
Aunque sus prendas leves sobrevivan:
Pomos ya sin perfume, sortijas y joyeles
O el talismán irónico de un sexo poderoso,   30
Que el trágico desdén del tiempo perdonara.

Las piedras que los pies vivos rozaron
En centurias atrás, aún permanecen
Quietas en su lugar, y las columnas
En la plaza, testigos de las luchas políticas,   35
Y los altares donde sacrificaron y esperaron,
Y los muros que el placer de los cuerpos recataban.

Tan sólo ellos no están. Este silencio
Parece que aguardase la vuelta de sus vidas.
Mas los hombres, hechos de esa materia
    fragmentaria   40
Con que se nutre el tiempo, aunque sean
Aptos para crear lo que resiste al tiempo,
Ellos en cuya mente lo eterno se concibe,
Como en el fruto el hueso encierran muerte.

Oh Dios. Tú que nos has hecho   45
Para morir, ¿por qué nos infundiste
La sed de eternidad, que hace al poeta?
¿Puedes dejar así, siglo tras siglo,
Caer como vilanos que deshace un soplo
Los hijos de la luz en la tiniebla avara?   50

Mas tú no existes. Eres tan sólo el nombre
Que da el hombre a su miedo y su impotencia,
Y la vida sin ti es esto que parecen
Estas mismas ruinas bellas en su abandono:
Delirio de la luz ya sereno a la noche,   55
Delirio acaso hermoso cuando es corto y es leve.

Todo lo que es hermoso tiene su instante, y pasa.
Importa como eterno gozar de nuestro instante.
Yo no te envidio, Dios; déjame a solas
Con mis obras humanas que no duran: 60
El afán de llenar lo que es efímero
De eternidad, vale tu omnipotencia.

Esto es el hombre. Aprende pues, y cesa
De perseguir eternos dioses sordos
Que tu plegaria nutre y tu olvido aniquila.   65
Tu vida, lo mismo que la flor, ¿es menos bella
  acaso
Porque crezca y se abra en brazos de la muerte?

Sagrada y misteriosa cae la noche,
Dulce como una mano amiga que acaricia,
Y en su pecho, donde tal ahora yo, otros un día   70
Descansaron la frente, me reclino
A contemplar sereno el campo y las ruinas.

URANIA*

Es el bosque de plátanos, los troncos altos, lisos,
Como columnas blancas pautando el horizonte
Que el sol de mediodía asiste y dora,
Al pie del agua clara, a cuyo margen
Alientan dulcemente violetas esquivas.   5

Ella está inmóvil. Cubre aéreo
El ropaje azulado su hermosura virgen;
La estrella diamantina allá en la frente
Arisca tal la nieve, y en los ojos
La luz que no conoce sombra alguna.   10

La mano embelesada que alza un dedo
Atenta a la armonía de los astros,
El silencio restaura sobre el mundo
Domando el corazón, y la tormenta
No turba el cielo augusto de su frente.   15

Musa la más divina de las nueve,
Del orden bello virgen creadora,
Radiante inspiradora de los números,
A cuyo influjo las almas se levantan
De abandono mortal en un batir de alas.   20

Conforta el conocer que en ella mora
La calma vasta y lúcida del cielo
Sobre el dolor informe de la vida,
Sosegando el espíritu a su acento
Y al concierto celeste suspendido.   25

Si en otros días di curso enajenado
A la pasión inútil, su llanto largo y fiebre,
Hoy busco tu sagrado, tu amor, a quien modera
La mano sobre el pecho, ya sola musa mía,
Tú, rosa del silencio, tú, luz de la memoria.   30

---

* *Urania:* Una de las nueve musas, que presidía la Astronomía y
la Geometría. Fue amada de Apolo, de quien tuvo a Lino y a Hi-
meneo. Se la representa vestida de azul, coronada de estrellas y con
un compás en la mano.

TIERRA NATIVA

A Paquita G. de la Bárcena

Es la luz misma, la que abrió mis ojos
Toda ligera y tibia como un sueño,
Sosegada en colores delicados
Sobre las formas puras de las cosas.

El encanto de aquella tierra llana,   5
Extendida como una mano abierta,
Adonde el limonero encima de la fuente
Suspendía su fruto entre el ramaje.

El muro viejo en cuya barda abría
A la tarde su flor azul la enredadera,   10
Y al cual la golondrina en el verano
Tornaba siempre hacia su antiguo nido.

El susurro del agua alimentando,
Con su música insomne en el silencio,
Los sueños que la vida aún no corrompe,   15
El futuro que espera como página blanca.

Todo vuelve otra vez vivo a la mente,
Irreparable ya con el andar del tiempo,
Y su recuerdo ahora me traspasa
El pecho tal puñal fino y seguro.   20

Raíz del tronco verde, ¿quién la arranca?
Aquel amor primero, ¿quién lo vence?
Tu sueño y tu recuerdo, ¿quién lo olvida,
Tierra nativa, más mía cuanto más lejana?

GÓNGORA

El andaluz envejecido que tiene gran razón para su
    orgullo,
El poeta cuya palabra lúcida es como diamante,
Harto de fatigar sus esperanzas por la corte,
Harto de su pobreza noble que le obliga
A no salir de casa cuando el día, sino al atardecer,
    ya que las sombras,   5
Más generosas que los hombres, disimulan
En la común tiniebla parda de las calles
La bayeta caduca de su coche y el tafetán delgado
    de su traje;
Harto de pretender favores de magnates,
Su altivez humillada por el ruego insistente,   10
Harto de los años tan largos malgastados
En perseguir fortuna lejos de Córdoba la llana y de
    su muro excelso,
Vuelve al rincón nativo para morir tranquilo y
    silencioso.

Ya restituye el alma a soledad sin esperar a nadie
Si no es de su conciencia, y menos todavía   15
De aquel sol invernal de la grandeza
Que no atempera el frío del desdichado,
Y aprende a desearles buen viaje
A príncipes, virreyes, duques altisonantes,
Vulgo luciente no menos estúpido que el otro;   20
Ya se resigna a ver pasar la vida tal sueño
    inconsistente
Que el alba desvanece, a amar el rincón solo
Adonde conllevar paciente su pobreza,
Olvidando que tantos menos dignos que él, como la
    bestia ávida
Toman hasta saciarse la parte mejor de toda cosa,   25
Dejándole la amarga, el desecho del paria.

Pero en la poesía encontró siempre, no tan sólo
   hermosura, sino ánimo,
La fuerza del vivir más libre y más soberbio,
Como un neblí que deja el puño duro para buscar
   las nubes
Traslúcidas de oro allá en el cielo alto.   30
Ahora al reducto último de su casa y su huerto le
   alcanzan todavía
Las piedras de los otros, salpicaduras tristes
Del aguachirle caro para las gentes
Que forman el común y como público son árbitro
   de gloria.
Ni aun esto Dios le perdonó en la hora de su
   muerte.   35
Decretado es al fin que Gongora jamás fuera poeta,
Que amó lo oscuro y vanidad tan sólo le dicto sus
   versos.
Menéndez y Pelayo, el montañés henchido por sus
   dogmas,
No gustó de él y le condena con fallo inapelable.

Viva pues Góngora, puesto que así los otros   40
Con desdén le ignoraron, menosprecio
Tras el cual aparece su palabra encendida
Como estrella perdida en lo hondo de la noche,
Como metal insomne en las entrañas de la tierra.
Ventaja grande es que esté ya muerto   45
Y que de muerto cumpla los tres siglos, que así
   pueden
Los descendientes mismos de quienes le insultaban
Inclinarse a su nombre, dar premio al erudito,
Sucesor del gusano, royendo su memoria.
Más él no transigió en la vida ni en la muerte   50
Y a salvo puso su alma irreductible
Como demonio arisco que ríe entre negruras.

Gracias demos a Dios por la paz de Góngora
   vencido;

Gracias demos a Dios por la paz de Góngora
 exaltado;
Gracias demos a Dios, que supo devolverle (como
 hará con nosotros),   55
Nulo al fin, ya tranquilo, entre su nada.

LA FAMILIA *

¿Recuerdas tú, recuerdas aún la escena
A que día tras día asististe paciente
En la niñez, remota como sueño al alba?
El silencio pesado, las cortinas caídas,
El círculo de luz sobre el mantel, solemne   5
Como paño de altar, y alrededor sentado
Aquel concilio familiar, que tantos ya cantaron,
Bien que tú, de entraña dura, aún no lo has hecho.

Era a la cabecera el padre adusto,
La madre caprichosa estaba en frente,   10
Con la hermana mayor imposible y desdichada,
Y la menor más dulce, quizá no más dichosa,
El hogar contigo mismo componiendo,
La casa familiar, el nido de los hombres,
Inconsistente y rígido, tal vidrio   15
Que todos quiebran, pero nadie dobla.

Presidían mudos, graves, la penumbra,
Ojos que no miraban los ojos de los otros,
Mientras sus manos pálidas alzaban como hostia
Un pedazo de pan, un fruto, una copa con agua,   20
Y aunque entonces vivían en ellos presentiste,
Tras la carne vestida, el doliente fantasma
Que al rezo de los otros nunca calma
La amargura de haber vivido inútilmente.

Suya no fue la culpa si te hicieron   25
En un rato de olvido indiferente,
Repitiendo tan sólo un gesto transmitido
Por otros y copiado sin una urgencia propia,
Cuya intención y alcance no pensaban.

---

* Este poema tiene un fuerte matiz evocador de la niñez de Cernuda. Recuerda el poeta el ambiente adusto y de disciplina en el que
se educó. Hace un duro juicio familiar, aunque al final hay ternura
y perdón.

Tampoco fue tu culpa si no les comprendiste: 30
Al menos has tenido la fuerza de ser franco
Para con ellos y contigo mismo.

Se propusieron, como los hombres todos, lo durable,
Lo que les aprovecha, aunque en torno miren
Que nada dura en ellos ni aprovecha,   35
Que nada es suyo, ni ese trago de agua
Refrescando sus fauces en verano,
Ni la llama que templa sus manos en invierno,
Ni el cuerpo que penetran con deseo
Dos soledades en una carne sola.   40

Ellos te dieron todo: cuando animal inerme
Te atendieron con leche y con abrigo;
Después, cuando creció tu cuerpo a par del alma,
Con dios y con moral te proveyeron,
Recibiendo deleite tras de azuzarte a veces   45
Para tu fuerza tierna doblegar a sus leyes.
Te dieron todo, sí; vida que no pedías,
Y con ella la muerte de dura compañera.

Pero algo más había, agazapado
Dentro de ti, como alimaña en cueva oscura,   50
Que no te dieron ellos, y eso eres:
Fuerza de soledad, en ti pensarte vivo,
Ganando tu verdad con tus errores.
Así, tan libremente, el agua brota y corre,
Sin servidumbre de mover batanes,   55
Irreductible al mar, que es su destino.

Aquel amor de ellos te apresaba
Como prenda medida para otros,
Y aquella generosidad, que comprar pretendía
Tu asentimiento a cuanto   60
No era según el alma tuya.
A odiar entonces aprendiste el amor que no sabe
Arder anónimo sin recompensa alguna.

El tiempo que pasó, desvaneciéndolos
Como burbuja sobre la haz del agua,   65
Rompió la pobre tiranía que levantaron,
Y libre al fin quedaste, a solas con tu vida,
Entre tantos de aquellos que, sin hogar ni gente,
Dueños en vida son del ancho olvido.

Luego con embeleso probando cuanto era   70
Costumbre suya prohibir en otros
Y a cuyo trasgresor la excomunión seguía,
Te acordaste de ellos, sonriendo apenado.
Cómo se engaña el hombre y cuán en vano
Da reglas que prohiben y condenan.   75
¿Es toda acción humana, como estimas ahora,
Fruto de imitación y de inconsciencia?

Por esta extraña llama hoy trémula en tus manos,
Que aun deseándolo, temes ha de apagarse un día,
Hasta ti transmitida con la herencia humana   80
De experiencias inútiles y empresas inestables
Obrando el bien y el mal sin proponérselo,
No prevalezcan las puertas del infierno
Sobre vosotros ni vuestras obras de la carne,
Oh padre taciturno que no le conociste,   85
Oh madre melancólica que no le comprendiste.

Que a esas sombras remotas no perturbe
En los limbos finales de la nada
Tu memoria como un remordimiento.
Este cónclave fantasmal que los evoca,   90
Ofreciendo tu sangre tal bebida propicia
Para hacer a los idos visibles un momento,
Perdón y paz os traiga a ti y a ellos.

EL ANDALUZ

Sombra hecha de luz,
Que templando repele,
Es fuego con nieve
El andaluz.

Enigma al trasluz,   5
Pues va entre gente solo,
Es amor con odio
El andaluz.

Oh hermano mío, tú.
Dios, que te crea,   10
Será quien comprenda
Al andaluz.

A UN POETA FUTURO

No conozco a los hombres. Años llevo
De buscarles y huirles sin remedio.
¿No les comprendo? ¿O acaso les comprendo
Demasiado? Antes que en estas formas
Evidentes, de brusca carne y hueso,   5
Súbitamente rotas por un resorte débil
Si alguien apasionado les allega,
Muertos en la leyenda les comprendo
Mejor. Y regreso de ellos a los vivos,
Fortalecido amigo solitario,   10
Como quien va del manantial latente
Al río que sin pulso desemboca.

No comprendo a los ríos. Con prisa errante pasan
Desde la fuente al mar, en ocio atareado,
Llenos de su importancia, bien fabril o agrícola;   15
La fuente, que es promesa, el mar sólo la cumple,
El multiforme mar, incierto y sempiterno.
Como en fuente lejana, en el futuro
Duermen las formas posibles de la vida
En un sueño sin sueños, nulas e inconscientes,   20
Prontas a reflejar la idea de los dioses.
Y entre los seres que serán un día
Sueñas tu sueño, mi imposible amigo.

No comprendo a los hombres. Mas algo en mi res-
   ponde,
Que te comprendería, lo mismo que comprendo   25
Los animales, las hojas y las piedras,
Compañeros de siempre silenciosos y fieles.
Todo es cuestión de tiempo en esta vida,
Un tiempo cuyo ritmo no se acuerda.
Por largo y vasto, al otro pobre ritmo   30

De nuestro tiempo humano corto y débil.
Si el tiempo de los hombres y el tiempo de los dioses
Fuera uno, esta nota que en mí inaugura el ritmo,
Unida con la tuya se acordaría en cadencia,
No callando sin eco entre el mudo auditorio.   35

Mas no me cuido de ser desconocido
En medio de estos cuerpos casi contemporáneos,
Vivos de modo diferente al de mi cuerpo
De tierra loca que pugna por ser ala
Y alcanzar aquel muro del espacio   40
Separando mis años de los tuyos futuros.
Sólo quiero mi brazo sobre otro brazo amigo,
Que otros ojos compartan lo que miran los míos.
Aunque tú no sabrás con cuánto amor hoy busco
Por ese abismo blanco del tiempo venidero   45
La sombra de tu alma, para aprender de ella
A ordenar mi pasión según nueva medida.

Ahora, cuando me catalogan ya los hombres
Bajo sus clasificaciones y sus fechas,
Disgusto a unos por frío y a los otros por raro,   50
Y en mi temblor humano hallan reminiscencias
Muertas. Nunca han de comprender que si mi lengua
El mundo cantó un día, fue amor quien la inspiraba.
Yo no podré decirte cuánto llevo luchando
Para que mi palabra no se muera   55
Silenciosa conmigo, y vaya como un eco
A ti, como tormenta que ha pasado
Y un son vago recuerda por el aire tranquilo.

Tú no conocerás cómo domo mi miedo
Para hacer de mi voz mi valentía,   60
Dando al olvido inútiles desastres
Que pululan en torno y pisotean
Nuestra vida con estúpido gozo,
La vida que serás y que yo casi he sido.
Porque presiento en este alejamiento humano   65
Cuán míos habrán de ser los hombres venideros,

Cómo esta soledad será poblada un día,
Aunque sin mí, de camaradas puros a tu imagen.
Si renuncio a la vida es para hallarla luego
Conforme a mi deseo, en tu memoria.   70

Cuando en hora tardía, aún leyendo
Bajo la lámpara luego me interrumpo
Para escuchar la lluvia, pesada tal borracho
Que orina en la tiniebla helada de la calle,
Algo débil en mí susurra entonces: 75
Los elementos libres que aprisiona mi cuerpo
¿Fueron sobre la tierra convocados
Por esto sólo? ¿Hay más? Y si lo hay ¿adónde
Hallarlo? No conozco otro mundo si no es éste,
Y sin ti es triste a veces. Ámame con nostalgia,   80
Como a una sombra, como yo he amado
La verdad del poeta bajo nombres ya idos.

Cuando en días venideros, libre el hombre
Del mundo primitivo a que hemos vuelto
De tiniebla y de horror, lleve el destino   85
Tu mano hacia el volumen donde yazcan
Olvidados mis versos, y lo abras,
Yo sé que sentirás mi voz llegarte,
No de la letra vieja, mas del fondo
Vivo en tu entraña, con un afán sin nombre   90

Que tú dominarás. Escúchame y comprende.
En sus limbos mi alma quizá recuerde algo,
Y entonces en ti mismo mis sueños y deseos
Tendrán razón al fin, y habré vivido.

PRIMAVERA VIEJA*

Ahora, al poniente morado de la tarde,
En flor ya los magnolios mojados de rocío,
Pasar aquellas calles, mientras crece
La luna por el aire, será soñar despierto.

El cielo con su queja harán más vasto   5
Bandos de golondrinas; el agua en una fuente
Librará puramente la honda voz de la tierra;
Luego el cielo y la tierra quedarán silenciosos.

En el rincón de algún compás[1], a solas
Con la frente en la mano, un fantasma   10
Que vuelve, llorarías pensando
Cuán bella fue la vida y cuán inútil.

---

* En este poema vuelve a evocar con nostalgia su ciudad natal.
[1] *Compás:* Patio de un convento.

QUETZALCOATL*

Yo estaba allí, mas no me preguntéis
De dónde o cómo vino, sabed sólo
Que estuve yo también cuando el milagro.
No importa el nombre. Una aldea cualquiera
Me vio nacer allá en el mundo viejo   5
Y apenas vivo me adiestré en la vida
Del miserable: hambre, frío, trabajo
Con soledad. ¿Quién le dio al fango un alma?

Pero tuve algo más: el cielo aquel, el cielo
De la tarde en Castilla (puro y vasto   10
Como frente de un dios que piensa el mundo,
Un mar de sangre y oro, cuya fiebre
La calmaba, toda azul, la noche honda
Con su perenne escalofrío de estrellas),
Me enseñó la lección digna del alma   15
Cuando lo contemplaba yo de niño
Sobre las bardas últimas al páramo.

Luego, como arenal sediento bebe el agua,
Así embebió mi mente las leyendas
De aquellos que pasaban a las Indias,   20
Perla sin par oculta en el abismo atlántico
Y por un hombre hallada, para adornar con ella,
Poeta que regala su propio sueño vivo,
Manos regias avaras y crueles.

---

* *Quetzalcoatl:* Dios del aire en la mitología de los antiguos ha-
bitantes de México, adorado por los mayas con el nombre de Kukul-
kán. Fue el civilizador de los náhoas, a quienes dictó leyes e instruyó
en agricultura.
   En este poema el autor se nos presenta como espectador de la con-
quista de México.

Cuando vi un día las murallas rojas   25
De la costa alejarse, y yo perderme
En la masa de agua, sentí ceder el nudo
Que invisible nos ata a nuestra tierra;
Madrastra fuera, que no madre, y aún la quise.
Comencé entonces a morir, mas era joven   30
Y en ello no pensé, dándolo al olvido.
Otras constelaciones velaron mi esperanza.

Pisando tierra nueva, de la mano el destino
Me llevó llanamente al hombre designado
Para la hazaña: aquel Cortés, demonio o ángel,   35
Como queráis; para mí sólo un hombre
Tal manda Dios, apasionado y duro,
Temple de diamante, que es fuego congelado
A cuya vista ciega quien le mira.

La ciudad contemplada desde el monte   40
Desnuda la intención secreta de sus calles,
Creídas al pisarla confusión sin rumbo;
Así desnudó el tiempo aquellos años nuestros
Preliminares, aunque perdidos parecieran:
Su dispersión impulsó al aire la semilla   45
Que caída en la tierra dio luego la cosecha.

Y el momento llegó cuando nos fuimos
Por el mar un puñado de hombres;
El mundo era sin límite, igual a mi deseo.
Frente al afán de ver, de ver con estos ojos   50
Que ha de cegar la muerte, lo demás, ¿qué valía?
Mas este pensamiento a nadie dije
Entre mis compañeros, a quienes hostigaba
La ambición de riqueza y poderío.

Realidad fabulosa como leyenda alguna   55
Allá nos esperaba, y nosotros la hallamos
Tras sus cimas nevadas y sus lagos profundos:
Un reino virgen cimentado en el oro y la esmeralda,
Guardado por cobrizas criaturas recónditas
Para las cuales Cristo fue nombre nunca oído.   60

Astucia, fuerza, crueldad y crimen,
Todo lo cometimos, y nos fue devuelto
Con creces; mas vencimos, y nadie hizo otro tanto
Antes, ni hará después: un puñado de hombres
Que la codicia apenas guardó unidos   65
Ganaron un imperio milenario.

Ya sé lo que decís: el horror de la guerra,
Mas lo decís en paz, y en guerra calláis con
      mansedumbre.
Nadie supo la guerra tan bien como nosostros,
Ni siquiera los hombres allá en el mundo viejo   70
Donde el emperador un trozo de pan daba
Por conquistarle reinos: castillos en el aire,
No bien ganados cuando ya perdidos.

Cuerpos acometí, arrancando sus almas
Apenas fatigadas de la vida,   75
Como el aire inconsciente las hojas de una rama;
Destinos corté en flor, por la corola
Aún intacto el color, puro el perfume.
¿Hubo algún Garcilaso que mi piedra
Hundiera bruscamente al fondo de la muerte?   80
El reino del poeta tampoco es de este mundo.

Cuando en una mañana, por los arcos y puertas
Que abrió la capital vencida ante nosotros,
Onduló como serpiente de bronce y diamante
Cortejo con litera trayendo al rey azteca,   85
Me pareció romperse el velo mismo
De los últimos cielos, desnuda ya la gloria.
Sí, allí estuve, y lo vi; envidiadme vosotros.

La masa nevada de terrazas y torres,
Por la ciudad lejana de innumerables puentes,   90
Se copiaba en el agua áurea de las lagunas
Como sueño esculpido en luz gloriosa,
Y encima refulgía la corona del cielo.

Pobre rey Moctezuma, golondrina
Rezagada que sorprende el invierno,   95
Mojada y aterida el ala ya sin fuerza.
Pero no es rey quien nace, y Cortés lo sabía.
¿Por qué lo olvidó luego, emulando con duques
En la corte lejana, él, cuyos pies se hicieron
Para besarlos príncipes y reyes?   100
Cuando él se abandonó también Dios le abandona.

Ahora amigos y enemigos están muertos
Y yace en paz el polvo de unos y de otros,
Menos yo: en mi existencia juntas sobreviven
Victorias y derrotas que el recuerdo hizo amigas.   105
¿Quién venció a quién?, a veces me pregunto.

Nada queda hoy que hacer, acotada la tierra
Que ahora el traficante reclama como suya
Negociando con cuerpos y con almas;
Ya sólo puede el hombre hacer dinero o hijos.   110
Y en un rincón al sol de este suelo, más mío
Que lo es el otro allá en el mundo viejo, solo, pobre
Tal vine, aguardo el fin sin temor y sin prisa.
Del viento nació el dios y volvió al viento
Que hizo de mí una pluma entre sus alas.   115
Oh tierra de la muerte, ¿dónde está tu victoria?

LOS ESPINOS*

Verdor nuevo los espinos
Tienen ya por la colina,
Toda de púrpura y nieve
En el aire estremecida.

Cuántos ciclos florecidos   5
Les has visto; aunque a la cita
Ellos serán siempre fieles,
Tú no lo serás un día.

Antes que la sombra caiga,
Aprende cómo es la dicha   10
Ante los espinos blancos
Y rojos en flor. Vé. Mira.

---

* Arbolillo de la familia de las rosáceas, de cuatro a seis metros
de altura, con ramas espinosas, hojas lampiñas y aserradas, flores
blancas y rosas. Floración en primavera.

MAGIA DE LA OBRA VIVA

La primavera nórdica como el amor es falsa:
Ya verde y tibia ayer, hoy helada y ventosa,
Con el sol rezagado allá en opuestos climas
Cuando creyó sentir su beso el cuerpo pálido.

Mas posible es buscarlo a través de las nubes,   5
Tal pescador del sur por el fondo marino
La opaca luz redonda en la perla cuajada.
¿No dora siempre el sol los sueños de otro suelo?

* * *

Por el campo tranquilo los arrozales verdes
Se mecen sobre el haz rosáceo de lagunas   10
En un sopor caídas, que las grullas vigilan
Volando agudamente entre nubes deshechas.

Las terrazas del templo, con vastas galerías
Abiertas a jardines, llevan al santuario
Recatado, adonde tras el velo de sombras   15
Brillan clarividentes los ojos de un espejo.

El templo, los jardines y los campos cercanos
En silencio y en calma brotan como burbuja
Fraguada por el aire, a la que basta un soplo
Del labio para hundir su ordenación quimérica.   20

Cercada por el mármol, el agua en los aljibes
Refresca las corolas del loto y la champaca[1],
Nutriendo desde siglos el oloroso musgo
Sobre losas, columnas, cornisas y tejados.
Figuras esculpidas por los muros ondulan   25
O extáticas se tienden, cercadas de las plantas
Y animales amigos, tal si un poder celeste,
Todavía alentando, en piedra las trocase.

---

[1] *Champaca:* En las islas Malayas es la magnoliácea cultivada por
el aroma de sus flores amarillas, que además sirven de adorno.

Pero las hizo un hombre nacido de esa tierra,
Del lugar mismo, amigo tranquilo de la vida,   30
Que las tardes perdía en ocio junto al río
Y las noches ganaba amando un cuerpo hermoso.

Todos le conocían, creían ya saberle,
Con esa vaguedad que el hombre sabe al hombre,
Cuando tras la labor sin prisa de los años   35
Coronó su cincel la cornisa del templo.

Después, ya envejecido, ocioso y solo iba
A sentarse en terraza o jardín frente a las piedras
Que pobló lentamente de seres a su imagen,
Mirando cómo el tiempo los iba haciendo suyos.   40

Un día, nadie sabe, se marchó, murió acaso.
La lluvia, el sol, la nieve, el viento completaron
La obra que él dejara viva sobre la tierra,
Más fuerte que el olvido volviendo su hermosura.

Y al alba temprana del estío, un campesino,   45
Desnuda piel cobriza con quitasol de paja,
Vio jinetes de sombra galopar por los lagos
Tras las estrellas pálidas de la noche en derrota.

Como aves desdeñosas cuando el hombre aparece,
Escaparon las sombras en un vuelo hacia el templo,   50
Que de púrpura y oro teñía el sol naciente,
Fundiéndose a sus muros con quieto escalofrío.

* * *

Quién le diera a tus versos, igualando a las sombras
Que el campesino viera pisar su prado al alba,
Para volver después al éxtasis inmóvil,   55
Vivir sin ti y sin nadie, con vida entera y libre.

ELEGÍA ANTICIPADA

Por la costa del sur, sobre una roca
Alta junto a la mar, el cementerio
Aquel descansa en codiciable olvido,
Y el agua arrulla el sueño del pasado.

Desde el dintel, cerrado entre los muros, 5
Huerto parecería, si no fuese
Por las losas, posadas en la hierba
Como un poco de nieve que no oprime.

Hay troncos a que asisten fuerza y gracia,
Y entre el aire y las hojas buscan nido 10
Pájaros a la sombra de la muerte;
Hay paz contemplativa, calma entera.

Si el deseo de alguien, que en el tiempo
Dócil no halló la vida a sus deseos,
Puede cumplirse luego, tras la muerte, 15
Quieres estar allá solo y tranquilo.

Ardido el cuerpo, luego lo que es aire
Al aire vaya, y a la tierra el polvo,
Por obra del afecto de un amigo,
Si un amigo tuviste entre los hombres. 20

Y no es el silencio solamente,
La quietud del lugar, quien así lleva
Tu memoria hacia allá, mas la conciencia
De que tu vida allí tuvo su cima.

Fue en la estación cuando la mar y el cielo 25
Dan una misma luz, la flor es fruto,
Y el destino tan pleno que parece
Cosa dulce adentrarse por la muerte.

Entonces el amor único quiso
En cuerpo amanecido sonreírte,   30
Esbelto y rubio como espiga al viento.
Tú mirabas tu dicha sin creerla.

Cuando su cetro el día pasa luego
A su amada la noche, aún más hermosa
Parece aquella tierra; un dios acaso   35
Vela en eternidad sobre su sueño.

Entre las hojas fuisteis, descuidados
De una presencia intrusa, y ciegamente
Un labio hallaba en otro ese embeleso
Hijo de la sonrisa y del suspiro.   40

Al alba el mar pulía vuestros cuerpos,
Puros aún, como de piedra oscura;
La música a la noche acariciaba
Vuestras almas debajo de aquel chopo.

No fue breve esa dicha. ¿Quién pretende   45
Que la dicha se mida por el tiempo?
Libres vosotros del espacio humano,
Del tiempo quebrantásteis las prisiones.

El recuerdo por eso vuelve hoy
Al cementerio aquel, al mar, la roca   50
En la costa del sur: el hombre quiere
Caer donde el amor fue suyo un día.

APLAUSO HUMANO

Ahora todas aquellas criaturas grises
Cuya sed parca de amor nocturnamente satisface
El aguachirle conyugal, al escuchar tus versos,
Por la verdad que exponen podrán escarnecerte.

Cuánto pedante en moda y periodista en venta   5
Humana flor perfecta se estimarán entonces
Frente a ti, así como el patán rudimentario
Hasta la náusea hozando la escoria del deseo.

La consideración mundana tú nunca la buscaste,
Aún menos cuando fuera su precio una mentira,   10
Como bufón sombrío traicionando tu alma
A cambio de un cumplido con oficial benevolencia.

Por ello en vida y muerte pagarás largamente
La ocasión de ser fiel contigo y unos pocos,
Aunque jamás sepan los otros que desvío   15
Siempre es razón mejor ante la grey.

Pero a veces aún dudas si la verdad del alma
No debiera guardarla el alma a solas,
Contemplarla en silencio, y así nutrir la vida
Con un tesoro intacto que no profana el mundo.   20

Mas tus labios hablaron, y su verdad fue al aire.
Sigue con la frente tranquila entre los hombres,
Y si un sarcasmo escuchas, súbito como piedra,
Formas amargas del elogio ahí descifre tu orgullo.

NOCHE DEL HOMBRE Y SU DEMONIO

D: Vive la madrugada. Cobra tu señorío.
Percibe la existencia en dolor puro.
Ahora el alma es oscura, y los ojos no hallan
Sino tiniebla en torno. Es ésta la hora cierta
Para hablar de la vida, la vida tan amada.   5
Si al Dios de quien es obra le reprochas
Que te la diera limitada en muerte,
Su don en sueños no malgastes. Hombre,
   despierta.

H: Entre los brazos de mi sueño estaba
Aprendiendo a morir. ¿Por qué me acuerdas?   10
¿Te inspira acaso envidia el sueño humano?
Amo más que la vida este sosiego a solas,
Y tú me arrancas de él, para volverme
Al carnaval de sombras, por el cual te deslizas
Con ademán profético y paso insinuante   15
Tal ministro en desgracia. No quiero verte.
   Déjame.

D: No sólo forja el hombre a imagen propia
Su Dios, aún más se le asemeja su demonio.
Acaso mi apariencia no concierte
Con mi poder latente: aprendo hipocresía,   20
Envejezco además, y ya desmaya el tiempo
El huracán sulfúreo de las alas
En el cuerpo del ángel que fui un día.
En mí tienes espejo. Hoy no puedo volverte
La juventud huraña que de ti ha desertado.   25

H: En la hora feliz del hombre, cuando olvida,
Aguzas mi conciencia, mi tormento;
Como enjambre irritado los recuerdos atraes;
Con sarcasmo mundano suspendes todo acto,
Dejándolo incompleto, nulo para la historia,   30

Y luego, comparando cuánto valen
Ante un chopo con sol en primavera
Los sueños del poeta, susurras cómo el sueño
Es de esta realidad la sombra inútil.

D: Tu inteligencia se abre entre el engaño: 35
Es como flor a un viejo regalada,
Y a poco que la muerte se demore,
Ella será clarividente un día.
Mas si el tiempo destruye la sustancia,
Que aquilate la esencia ya no importa.   40
Ha sido la palabra tu enemigo:
Por ella de estar vivo te olvidaste.

H: Hoy me reprochas el culto a la palabra.
¿Quién si no tú puso en mí esa locura?
El amargo placer de transformar el gesto   45
En són, sustituyendo el verbo al acto,
Ha sido afán constante de mi vida.
Y mi voz no escuchada, o apenas escuchada,
Ha de sonar aún cuando yo muera,
Sola, como el viento en los juncos sobre el agua.   50

D: Nadie escucha una voz, tú bien lo sabes.
¿Quién escuchó jamás la voz ajena
Si es pura y está sola? El histrión elocuente,
El hierofante[1] vano miran crecer el corro
Propicio a la mentira. Ellos viven, prosperan;   55
Tú vegetas sin nadie. El mañana ¿qué importa?
Cuando a ellos les olvide el destino, y te recuerde,
Un nombre tú serás, un són, un aire.

---

1 *Hierofante:* Maestro de nociones recónditas. Pero el adjetivo *vano* le da un significado de falsedad e hipocresía.

H : Me hieres en el centro más profundo,
Pues conoces que el hombre no tolera   60
Estar vivo sin más: como en un juego trágico
Necesita apostar su vida en algo,
Algo de que alza un ídolo, aunque con barro sea,
Y antes que confesar su engaño quiere muerte.
Mi engaño era inocente, y a nadie arruinaba   65
Excepto a mí, aunque a veces yo mismo lo veía.

D : Siento esta noche nostalgia de otras vidas.
Quisiera ser el hombre común de alma letárgica
Que extrae de la moneda beneficio,
Deja semilla en la mujer legítima,   70
Sumisión cosechando con la prole,
Por pública opinión ordena su conciencia
Y espera en Dios, pues frecuentó su templo.

H : ¿Por qué de mí haces burla duramente?
Si pierde su sabor la sal del mundo   75
Nada podrá volvérselo, y tú no existirías
Si yo fuese otro hombre más feliz acaso,
Bien que no es la cuestión el ser dichoso.
Amo el sabor amargo y puro de la vida,
Este sentir por otros la conciencia   80
Aletargada en ellos, con su remordimiento,
Y aceptar los pecados que ellos mismos rechazan.

D : Pobre asceta irrisorio, confiesa cuánto halago
Ofrecen el poder y la fortuna:
Alas para cernerse al sol, negar la zona   85
En sombra de la vida, gratificar deseos,
Con dúctil amistad verse fortalecido,
Comprarlo todo, ya que todo está en venta,
Y contemplando la miseria extraña
Hacer más delicado el placer propio.   90

H: Dos veces no se nace, amigo. Vivo al gusto
De Dios. ¿Quién evadió jamás a su destino?
El mío fue explorar esta extraña comarca,
Contigo siempre a zaga, subrayando
Con tu sarcasmo mi dolor. Ahora silencio,   95
Por si alguno pretende que me quejo: es más
Sentirse vivo en medio de la angustia   [digno
Que ignorar con los grandes de este mundo,
Cerrados en su limbo tras las puertas de oro.

D: Después de todo, ¿quién dice que no sea   100
Tu Dios, no tu demonio, el que te habla?
Amigo ya no tienes sino es éste
Que te incita y despierta, padeciendo contigo.
Mas mira cómo el alba a la ventana
Te convoca a vivir sin ganas otro día.   105
Pues el mundo no aprueba al desdichado,
Recuerda la sonrisa y, como aquel que aguarda,
Álzate y vé, aunque aquí nada esperes.

VEREDA DEL CUCO

Cuántas veces has ido en otro tiempo
Camino de esta fuente,
Buscando por la senda oscura
Adonde mana el agua,
Para quedar inmóvil en su orilla,   5
Mirando con asombro mudo
Cómo allá, entre la hondura,
Con gesto semejante aunque remoto,
Surgía otra apariencia
De encanto ineludible.   10
Propicia y enemiga,
Y tú la contemplabas,
Como aquel que contempla
Revelarse el destino
Sobre la arena en signos inconstantes.   15

Un desear atávico te atrajo
Aquí, madura la mañana,
Niño ya no, ni hombre todavía,
Con nostalgia y pereza
De la primera edad lenta en huirnos;   20
E indeciso tu paso se detuvo,
Distante la corriente,
Mas su rumor cercano,
Hablando ensimismada,
Pasando reticente,   25
Mientras por esa pausa tímida aprendías
A conocer tu sed aún inexperta,
Antes de que los labios la aplacaran
En extraño dulzor y en amargura.

Vencido el niño, el hombre que ya eras   30
Fue al venero, cuyo fondo insidioso
Recela la agonía,
La lucha con la sombra profunda de la tierra
Para alcanzar la luz, y bebiste del agua,

Tornándose tu sed luego más viva,   35
Que la abstinencia supo
Darle fuerza mayor a aquel sosiego
Líquido, concordante
De tu sed, tan herido
De ella como del agua misma,   40
Y entonces no pudiste
Desertar la vereda
Oscura de la fuente.

Tal si fuese la vida
Lo que el amante busca,   45
Cuántas veces pisaste
Este sendero oscuro
Adonde el cuco silba entre los olmos,
Aunque no puede el labio
Beber dos veces de la misma agua,   50
Y al invocar la hondura
Una imagen distinta respondía,
Evasiva a la mente,
Ofreciendo, escondiendo
La expresión inmutable,   55
La compañía fiel en cuerpos sucesivos,
Que el amor es lo eterno y no lo amado.

Para que sea perdido,
Para que sea ganado
Por su pasión, un riesgo   60
Donde el que más arriesga es que más ama,
Es el amor fuente de todo;
Hay júbilo en la luz porque brilla esa fuente,
Encierra al dios la espiga porque mana esa fuente,
Voz pura es la palabra porque suena esa fuente,   65
Y la muerte es de ella el fondo codiciable.
Extático en su orilla,
Oh tormento divino,
Oh divino deleite,
Bebías de tu sed y de la fuente a un tiempo,   70
Sabiendo a eternidad tu sed y el agua.

No importa que la vida
Te desterrara de esa orilla verde,
Su silencio sonoro,
Su soledad poblada;   75
Lo que el amor te ha dado
Contigo ha de quedar, y es tu destino,
En el alba o la noche,
En olvido o memoria;
Que si el cuerpo de un día   80
Es ceniza de siempre,
Sin ceniza no hay llama,
Ni sin muerte es el cuerpo
Testigo del amor, fe del amor eterno,
Razón del mundo que rige las estrellas,   85

Como flor encendidas,
Como el aire ligeras,
Mira esas otras formas juveniles
Bajo las ramas donde silba el cuco,
Que invocan hoy la imagen   90
Oculta allá en la fuente,
Como tú ayer; y dudas si no eres
Su sed hoy nueva, si no es tu amor el suyo,
En ellos redivivo,
Aquel que desde el tiempo inmemorable,   95
Con un gesto secreto,
En su pasión encuentra
Rescate de la muerte,
Aceptando la muerte para crear la vida.

Aunque tu día haya pasado,   100
Eres tú, y son los idos,
Quienes por estos ojos nuevos buscan
En la haz de la fuente
La realidad profunda,
Íntima y perdurable;   105
Eres tú, y son los idos,
Quienes por estos cuerpos nuevos vuelven
A la vereda oscura,

235

Y ante el tránsito ciego de la noche
Huyen hacia el oriente,   110
Dueños del sortilegio,
Conocedores del fuego originario,
La pira donde el fénix muere y nace.

Vivir sin estar viviendo
(1944-1949)

CUATRO POEMAS A UNA SOMBRA

I

LA VENTANA

Recuerda le ventana
Sobre el jardín nocturno,
Casi conventual; aquel sonido humano,
Oscuro de las hojas, cuando el tiempo,
Lleno de la presencia y la figura amada,   5
Sobre la eternidad un ala inmóvil,
Hace ya de tu vida
Centro cordial del mundo,
De ti puesto en olvido,
Enajenado entre las cosas.   10

Todo esplendor, misterio
Primaveral, el cielo luce
Como agua que en la noche orea;
Y al contemplarle, sientes
Pena de abandonar esta ventana,   15
Para ceder en sueño tanta vida,
Al reposo definitivo
Anticipado el cuerpo.
Cuando por el amor tu espíritu rescata
La realidad profunda.   20

Sin esperarle, contra el tiempo,
Nuevamente ha venido,
Rompiendo el sueño largo
Por cuyo despertar te aparecía
La muerte sólo; y trae   25
El sentido consigo, la pasión, la conciencia,
Como recién creados admirables,
En su pureza y su vigor primeros,
Que estando ya, no estaban,
Pues entre estar y estar hay diferencia.   30

Su voluntad, maestra de la tuya,
Delicia y miedo inspira,
Penetrando en la sangre, como música
Inmaterial dominadora,
Y al poder te somete de unos ojos,   35
Donde amanece el alma
Allá en su fondo azul, tranquilo y frío,
Hacia la luz alzados,
Unida a ellos, y unido tú con ellos
Por vida y muerte quieres contemplarlos.   40

El amor nace en los ojos,
Adonde tú, perdidamente,
Tiemblas de hallarle aún desconocido,
Sonriente, exigiendo;
La mirada es quien crea,   45
Por el amor, el mundo,
Y el amor quien percibe,
Dentro del hombre oscuro, el ser divino,
Criatura de luz entonces viva
En los ojos que ven y que comprenden.   50

Miras la noche a la ventana, y piensas
Cuán bello es este día de tu vida,
Por el encanto mudo
Del cual ella recibe
Su valor; en los cuerpos,   55

Con soledad heridos,
Las almas sosegando,
Que a una y otra cifra, dos mitades
Tributarias del odio,
A la unidad las restituye.   60

Un astro fijo iluminando el tiempo,
Aunque su luz al tiempo desconoce,
Es hoy tu amor, que quiere
Exaltar un destino
Adonde se conciertan fuerza y gracia;   65
Fijar una existencia
Con tregua eterna y breve, tal la rosa;
El dios y el hombre unirlos:
En obras de la tierra lo divino olvidado,
Lo terreno probado en el fuego celeste.   70

Como la copa llena,
Cuando sin apurarla es derramada
Con un gesto seguro de la mano,
Tu fe despierta y tu fervor despierto,
Enamorado irías a la muerte,   75
Cayendo así, ¿ello es muerte o caída?,
Mientras contemplas, ya a la aurora,
El azul puro y hondo de esos ojos,
Porque siempre la noche
Con tu amor se ilumine.   80

II

EL AMIGO

Los lugares idénticos parecen,
Las cosas como antes,
Mas él no está, ni la luz, ni las hojas,
Y en esta calma hacia el final del año
Llevas la soledad por toda compañía.   5

Es grato errar afuera,
Ir con tu sombra, recordando
Lo pasado tan cerca en lo presente,
Crecida ya su flor sin tiempo.
¿Es ésta soledad si así está llena?   10

El mediodía ahora, con su cielo
Que se acerca velado
Al río de aguas ciegas,
Vuelve hacia ti la historia,
Íntimo y silencioso como un libro.   15

En su sosiego crees
Que una forma ligera se encamina
Dulcemente a tu lado,
Como el amigo aquel, cuando las hojas
Y la luz, luego idas con él mismo.   20

Le llamas ido, y no semeja
Su vida, transcurriendo a la distancia,
Espectro de la mente hoy,
Sino vida en la tuya, entre estas cosas
Que le vieron contigo.   25

Negado a tu deseo, hallas entonces
Que si tocas tu mano es con su mano,
Que si miran tus ojos es con sus ojos,
Y tu amor en ti mismo
Tiene cuanto le dio y en él perdiera.   30

No le busques afuera. Él ya no puede
Ser distinto de ti, ni tú tampoco
Ser distinto de él: unidos vais,
Formando un solo ser de dos impulsos,
Como al pájaro solo hacen dos alas.   35

III

LA ESCARCHA

Mira los árboles, como en estío,
Por la escarcha brotados
Con hojas otra vez, hojas heladas,
Espectro de las idas. Así mismo a la mente
Aquella imagen del amor, antes amiga,   5
Regresa extraña ahora.

Todo cuanto fue entonces
Tibieza, movimiento,
Restituido así bajo esta escarcha,
Suspende el tiempo, y deja   10
Lo presente vacío,
Lo pasado visible sin encanto.

Parece que la muerte,
Siguiendo nuestra trama de la vida,
Sus formas remedase,   15
No brotadas del fuego originario,
Mas del frío postrero,
Halo transubstanciado en torno de una ausencia.

Dirías que el amor, luz de día en estío,
Luego es sombra desconsolada   20
Sobre unos campos transitorios
Con sus ramos de hielo,
Por los que vas buscando la figura
Constante de las cosas.

Dirías. Mas percibes en lo hondo,   25
Como presagio, siempre:
«No era en esos oídos
Adonde tu palabra
Debía resonar, ni era en esos lugares
Donde debías hallar el centro de tu alma.   30

«Sigue por las regiones del aspirar oscuro,
No buscando sosiego a tu deseo,
Confiado en lo inestable,
Enamorado en lo enemigo».
Contra el tiempo, en el tiempo,   35
Así el presagio loco: «espera, espera».

IV

EL FUEGO

Por tierra está aquel chopo,
La sombra que a tu lado contemplabas,
En el aire la cima hacia las nubes,
Cuando el verano, como pausa del tiempo,
Sobre su hierba al sol te mantenía.   5

Un haz de luz en horas matinales
Era, con el crecer del día oscurecido,
Hasta tornarse columna misteriosa al pie del agua
Sosteniendo más claras la noche y las estrellas.

A su lado tu amor pensabas,   10
Destinado a vivir sólo un estío,
Aunque tan hondamente por el cuerpo arraigase
Como en la tierra el árbol.

De tu alentar al alentar del chopo
Corría una hermandad, y era consuelo   15
Confiar esperando enamorado,
Cerca así de un ahinco negado a tu destino.

Mas aún, en ofrenda
Al destino, tendías con gratitud tu vida,
Igual a quien su pie desliza por el fango,   20
Sólo atento a una flor que la mano sostiene.

Así amabas entonces,
Siguiendo un delicado impulso,
Y tu inútil trabajo de amor no te dolía,
Aunque donde recela el ángel la pisada   25
Algún bufón se instala como dueño.

En fragmentos ahora arde aquel chopo,
A tu cuerpo de invierno con su llama dando
Compañía, tibieza del amor que falta
A nuestro lado, y de llama a recuerdo   30
Vas, y en ambos a ti solo te encuentras.

Cuanto el destino quita
Es luego recobrado en forma extraña;
Ganar, perder, son nombres sin sentido:
Mira cómo tu amor, tu árbol,   35
Con llama de otro impulso se coronan.

Junto al agua, en la hierba, ya no busques,
Que no hallarás figura, sino allá en la mente
Continuarse el mito de tu existir aún incompleto,
Creando otro deseo, dando asombro a la vida,   40
Sueño de alguno donde tú no sabes.

EL ÁRBOL

Al lado de las aguas está, como leyenda,
En su jardín murado y silencioso,
El árbol bello dos veces centenario,
Las poderosas ramas extendidas,
Cerco de tanta hierba, entrelazando hojas,   5
Dosel donde una sombra edénica subsiste.

Bajo este cielo nórdico nacido,
Cuya luz es tan breve, e incierta aun siendo breve,
Apenas embeleso estival lo traspasa y exalta
Como a su hermano el plátano del mediodía,   10
Sonoro de cigarras, junto del cual es grato
Dejar morir el tiempo divinamente inútil.

Tras el invierno horrible, cuando sólo la llama
Conforta aquella espera del revivir futuro,
Al pie del árbol brotan lágrimas de la nieve,   15
Corolas de azafrán, jacintos, asfodelos,
Con pujanza vernal de la tierra, y fielmente
De nueva juventud el árbol se corona.

Son entonces los días, algunos despejados,
Algunos nebulosos, más tibios de este clima,   20
Sueño septentrional que el sol casi no rompe,
Y hacia el estanque vienen rondas de mozos rubios:
Temblando, tantos cuerpos ligeros, queda el agua;
Vibrando, tantas voces timbradas, queda el aire.

Entre sus mocedades, vida prometedora,   25
Aunque pronto marchita en usos tristes,
Raro es aquel que siente, a solas algún día
En hora apasionada, la mano sobre el tronco,
La secreta premura de la savia, ascendiendo
Tal si fuera el latido de su propio destino.   30

Cuando la juventud el mundo es ancho,
Su medida tan vasta como vasto el deseo,
La soledad ligera, placentero ese irse,
Mirando sin nostalgia cosas y criaturas
Amigas un momento, en blanco la memoria   35
De recuerdos, que un día serán fardo cansado.

Atrás quedan los otros, repitiendo
Sin urgencia interior los gestos aprendidos,
Legitimados siempre por un provecho estéril;
Ya grey apareada, de hijos productora,   40
Pasiva ante el dolor como bestia asombrada,
Viva en un limbo idéntico al que en la muerte
   encuentra.

Pero ocurre una pausa en medio del camino;
La mirada que anhela, vuelta hacia lo futuro,
Es nostálgica ahora, vuelta hacia lo pasado;   45
Una fatiga nueva, alerta ya a esos ecos
De voces que se fueron, suspensas en el aire
Las preguntas de siempre, por nadie respondidas.

Y el mozo iluso es viejo, él mismo ignora cómo
Entre sueños fue el tiempo malgastado;   50
Ya su faz reflejada extraña le aparece,
Más que su faz extraña su conciencia,
De donde huyó el fervor trocado por disgusto,
Tal pájaro extranjero en nido que otro hizo.

Mientras, en su jardín, el árbol bello existe   55
Libre del engaño mortal que al tiempo engendra,
Y si la luz escapa de su cima a la tarde,
Cuando aquel aire ganan lentamente las sombras,
Sólo aparece triste a quien triste le mira:
Ser de un mundo perfecto donde el hombre es
   extraño.   60

OTRAS RUINAS

La torre que con máquinas ellos edificaron,
Por obra de las máquinas conoce la ruina.
Tras de su ordenación quedando a descubierto
Fuerzas instigadoras de torpes invenciones:
La carencia que nunca pudo esperar hartura,   5
La saciedad que nunca quiso guardar templanza;
Como dos enemigos frente a frente,
Hambre y frío de una parte, soberbia y avaricia de
    la otra.

La ruina ha clamado por suyos tantos muros
Sobre huecos disformes bostezando, ayer morada   10
De la cual sin cobijo subsiste irónico detalle:
Chimenea manchada por humo de las noches
Idas, como los cuerpos allá templados en invierno,
O tramo de escalera que conduce a la nada
Donde sus moradores irrumpieron con gesto
    estupefacto,   15
En juego del azar, sin coherencia de destino.

Intacto nada queda, aunque parezca
Firme, como esas otras casas hoy vacías,
Hacia cuyos salones las ventanas permiten
El vislumbre de espejos, oros sobrecargados,   20
Entre los cuales discurría la vanidad solemne
De ilustres aristócratas, eminentes políticos,
    acaudalados financieros,
Que al hablar despertaban un eco de murmullos
    complacidos
Y el respeto debido al rango y la fortuna.

El recinto donde las damas, dispensando   25
Una taza de té, medían su sonrisa según el visitante,
Bajo de cuyos techos festejaron múltiples las bujías
Íntimas reuniones y brillantes saraos, o en ocasión
    más rara

El matrimonio ventajoso por dos familias esperado,
Ya se encuentra desnudo y alberga solamente 30
La sede de socorros, a cuyas oficinas
Supervivientes fantasmales llegan.

La discreción reticente de estas calles,
Rumbo a las alamedas de algún parque, todas
En perspectiva acorde con el cielo moroso, 35
Hechas para los pasos de ocioso transeúnte,
El matinal jinete o la nocturna carretela,
Ve su color de perla por hollín mancillado,
Ofendido a diario su sosiego entre las sacudidas
Vulgares de la vida que aún subsiste. 40

Como desierto, adonde muchedumbres
Marchan dejando atrás la ruta decisiva,
Estéril era esta ciudad. Aquélla
Que con saber sin fe quiso mover montañas;
Toda ella monstruosa masa insuficiente: 45
Su alimento los frutos de colonias distantes,
Su prisa lucha inútil con espacio y con tiempo,
Su estruendo limbo ensordecedor de la conciencia.

El hombre y la ciudad se corresponden
Como al durmiente el sueño, al pecador la
    transgresión oculta; 50
Ella y él recusaron al silencio de las cosas
Hasta el refugio último: el aire inviolado,
De donde aves maléficas precipitaron muerte
Sobre la grey culpable, hacinada, indefensa,
Pues quien vivir a solas ya no sabe, morir a solas ya
    no debe. 55
Del dios al hombre es don postrero la ruina.

EL POETA

La edad tienes ahora que él entonces,
Cuando en el tiempo de la siembra y la danza,
Hijos de anhelo moceril que se despierta,
Tu sueño, tu esperanza, tu secreto,
Aquellos versos fueron a sus manos   5
Para mostrar y hallar signo de vida.

Mucho nos dicen, desde el pasado, voces
Ilustres, ascendientes de la palabra nuestra,
Y las de lenguas extraña, cuyo acento
Experiencia distinta nos revela. Mas las cosas,   10
El fuego, el mar, los árboles, los astros,
Nuevas siempre aparecen.

Nuevas y arcanas, hasta que al fin traslucen
Un día en la expresión de aquel poeta
Vivo de nuestra lengua, en el contemporáneo   15
Que infunde por nosotros,
Con su obra, la fe, la certidumbre
Maga de nuestro mundo visible e invisible.

Con reverencia y con amor así aprendiste,
Aunque en torno los hombres no curen de la imagen   20
Misteriosa y divina de las cosas,
De él, a mirar quieto, como
Espejo, sin el cual la creación sería
Ciega, hasta hallar su mirada en el poeta.

Aquel tiempo pasó, o tú pasaste,   25
Agitando una estela temporal ilusoria,
Adonde estaba él, cuando tenía
La misma edad que hoy tienes:
Lo que su fe sabía y la tuya buscaba,
Ahora has encontrado.   30

Agradécelo pues, que una palabra
Amiga mucho vale
En nuestra soledad, en nuestro breve espacio
De vivos, y nadie sino tú puede decirle,
A aquel que te enseñara adónde y cómo crece: 35
Gracias por la rosa del mundo.

Para el poeta hallarla es lo bastante,
E inútil el renombre u olvido de su obra,
Cuando en ella un momento se unifican,
Tal uno son amante, amor y amado,   40
Los tres complementarios luego y antes dispersos:
El deseo, la rosa y la mirada.

UN CONTEMPORÁNEO

Le conocí hace ya tanto tiempo;
Déjeme que recuerde. Si la memoria falla
A mi edad, cuando trata de imaginarse algo
Que en años mozos fuimos, aún más cuando persigue
La figura del hombre sólo visto un momento.   5

Nunca pensé que alguien viniera a preguntarme
Por tal persona, sin familiar, amigo,
Posición o fortuna; viviendo oscuramente,
Con los gestos diarios de cualquiera
A quien ya nadie nombra tras de muerto.   10

Que de espejo nos sirva
El prójimo, y nuestra propia imagen
Observemos en él, mas no la suya,
Ocurre a veces. Quien interroga a otros
Por un desconocido, debe contentarse   15
Con lo que halla, aun cuando sea huella
Ajena superpuesta a la que busca.

Era de edad mediana
Al conocerlo yo, enseñando,
No sé, idioma o metafísica, en puesto subalterno,   20
Como extraño que ha de ganar la vida
Por malas circunstancias y carece de apoyo.

A esta ciudad había venido
Desde el norte, donde antes estuvo
En circunstancias aún peores; ya conoce   25
Aquella gente práctica y tacaña, que buscando
Va por la vida sólo rendimiento,
Y poco rendimiento de tal hombre traslucía.

Aquí se hallaba a gusto, en lo posible
Para quien no parecía a gusto en parte alguna,   30
Aun cuando, ido, no quisiera
Regresar, ni a varios conocidos
Locales recordó. Así trataba acaso
Que lo pasado fuera pasado realmente
Y comenzar en limpio nueva etapa.   35

No le vi mucho, rehusando,
A lo que entiendo, el trato y compañía,
Acaso huraño y receloso en algo
Para mí indiferente. Poco hablaba,
Aunque en rara ocasión hablaba todo   40
Lo callado hasta entonces, entero, abrupto,
Y pareciendo luego avergonzado.

Pero seamos francos: yo no le quería
Bien, y un día, conversando
Temas insustanciales, el tiempo, los deportes,   45
La política, sentí temor extraño
Que en burla, no hacia mí, sino a los hombres todos
En mí representados, fuera a sacar la lengua.

Lo que pensó, amó, odió, le dejó indiferente,
Ignoro; como lo ignoro igual hasta de otros   50
Que conocí mejor. Nuestro vivir, de muchedumbre
A solas con un dios, un demonio o una nada,
Supongo que era el suyo también. ¿Por qué no
    habría de serlo?

Su pensamiento hoy puede leerse
Tras la obra, y ella sabrá decirle   55
Más que yo. Aunque supongo
Tales escritos sin valor alguno,
Y aquí ninguno se cuidaba de su autor o ellos.

Esta fama postrera no la mueve,
En mozos tan despiertos, amor de hacer justicia,   60
Sino gusto de hallar razón contra nosotros
Los viejos, el estorbo palmario en el camino,
Al cual no basta el apartar, mas el desprecio
Debe añadirse. Pues, ¿acaso
Vive desconocido el poeta futuro?   65

Sabemos que un poeta es otra cosa;
La chispa que le anima pronto prende
En quienes junto a él cruzan la vida,
Sus versos aceptados tal moneda corriente,
Lope fue siempre el listo Lope, vivo o muerto.   70

Tan vulgar como quiera será el vulgo,
Pero la voz del vulgo es voz divina,
Por estos tiempos nuestros a lo menos;
Y el vulgo era ignorante de ese hombre
Mientras viviera, en signo   75
Que siempre ignorará su póstuma excelencia.

La sociedad es justa, a todos trata
Como merecen; si hay exceso
Primero, con idéntico exceso retrocede,
Recobrando nivel. Piense de alguno,   80
Festejado tal dios por muchedumbres,
Por esas muchedumbres tal animal colgado.
Bien que ello nos repugne, justicia pura y simple.

Mas eso no se aplica a nuestro hombre.
¿Acaso hubo exceso en el olvido   85
Que vivió día a día? Hecho a medida
Del propio ser oscuro, exacto era; y a la muerte
Se lleva aquello que tomamos
De la vida, o lo que ella nos da: olvido
Acá, y olvido allá para él. Es lo mismo.   90

LAS EDADES

Trágicamente extraños, desprendidos
Desde su eternidad, entre los astros
Libres del tiempo, así aparecen hoy
Por los museos. Pálidos fantasmas
En concilio, convocados por el sueño,   5
Sobre la escalinata polvorienta,
En el dintel de las columnas rotas,
Vuelta irreal tanta hermosura aún viva.

Imaginados por un pueblo remoto,
De su temblor divino forma eran   10
(Como la rosa es forma del deseo);
Y en el bronce, en el marfil y el mármol,
Presidiendo los actos de la vida,
De terror y de gozo solos dispensadores,
En perfección erguidos, iba a ellos,   15
Con murmullo confuso, la palabra.

Un pueblo existe por su intuición de lo divino
Y es voz del sino que halla eco en historia,
Movido del ahínco indisoluble
De su tierra y su dios; así creando   20
Con lo invisible lo visible,
Con el sueño el acto, con el ánimo el gesto,
Del existir dando razón el mito,
Adonde nace, crece, engendra y muere.

Mas un pueblo al morir siente sus dioses   25
Vulnerables también, lo divino y lo humano
Sin magia ni virtud, de extraños luego presa
Cuanto era de otros el centro y el contorno:
Los trabajos del mar, y la labranza
Del campo, y la paz del caserío;   30
Lo que unido en los dioses es la vida
Y desunido es apetencia de la muerte.

Ahora, así humillados en un gesto
Ya ineficaz, se sobreviven
Preciosos sin valor, como la concha   35
Índica, de su perla despojada,
Cuando lejos del abismo nativo
Inerme yace a las injurias,
Sólo presea de un niño o de un enamorado,
Porque el iris cambiante le recuerda unos ojos.   40

La piedra cariada, el mármol corroído,
Es descomposición del dios, segura
De consumarse bajo el aire, como
Bajo la tierra la del hombre;
Ambos, el dios y el hombre, iguales   45
Ante el ultraje igual del azar y del tiempo
Cuyo poder los rige, y aceptada
La humildad de perderse en el olvido.

En la penumbra polvorienta pasan hoy
Seres grises; con ojos asombrados   50
Miran sin ver aquellos cuerpos duros
Orgullosos: el anca, el vientre, el lomo
De animales perfectos; los vestigios
Del dios que fue, que exige serlo siempre;
Y hostiles como extraños ofenden su agonía   55
Con una admiración incrédula.

LA SOMBRA

Al despertar de un sueño, buscas
Tu juventud, como si fuese el cuerpo
Del camarada que durmiese
A tu lado y que al alba no encuentras.

Ausencia conocida, nueva siempre,   5
Con la cual no te hallas. Y aunque acaso
Hoy tú seas más de lo que era
El mozo ido, todavía

Sin voz le llamas, cuántas veces;
Olvidado que de su mocedad se alimentaba   10
Aquella pena aguda, la conciencia
De tu vivir de ayer. Ahora,

Ida también, es sólo
Un vago malestar, una inconsciencia
Acallando el pasado, dejando indiferente   15
Al otro que tú eres, sin pena, sin alivio.

SER DE SANSUEÑA*

Acaso allí estará, cuatro costados
Bañados en los mares, al centro la meseta
Ardiente y andrajosa. Es ella, la madrastra
Original de tantos, como tú, dolidos
De ella y por ella dolientes.   5

Es la tierra imposible, que a su imagen te hizo
Para de sí arrojarte. En ella el hombre
Que otra cosa no pudo, por error naciendo,
Sucumbe de verdad, y como en pago
Ocasional de otros errores inmortales.   10

Inalterable, en violento claroscuro,
Mírala, piénsala. Árida tierra, cielo fértil,
Con nieves y resoles, riadas y sequías;
Almendros y chumberas, espartos y naranjos
Crecen en ella, ya desierto, ya oasis.   15

Junto a la iglesia está la casa llana,
Al lado del palacio está la timba,
El alarido ronco junto a la voz serena,
El amor junto al odio, y la caricia junto
A la puñalada. Allí es extremo todo.   20

La nobleza plebeya, el populacho noble,
La pueblan; dando terratenientes y toreros,
Curas y caballistas, vagos y visionarios,
Guapos y guerrilleros. Tú compatriota,
Bien que ello te repugne, de su fauna.   25

---

* Sansueña es España. En el poema se nos da una visión amarga
y negativa del país.

Las cosas tienen precio. Lo es del poderío
La corrupción, del amor la no correspondencia;
Y ser de aquella tierra lo pagas con no serlo
De ninguna: deambular, vacuo y nulo,
Por el mundo, que a Sansueña y sus hijos desconoce.   30

Si en otro tiempo hubiera sido nuestra,
Cuando gentes extrañas la temían y odiaban,
Y mucho era ser de ella; cuando toda
Su sinrazón congénita, ya locura hoy,
Como admirable paradoja se imponía.   35

Vivieron muerte, sí, pero con gloria
Monstruosa. Hoy la vida morimos
En ajeno rincón. Y mientras tanto
Los gusanos, de ella y su ruina irreparable,
Crecen, prosperan.   40

Vivir para ver esto.
Vivir para ser esto.

SILLA DEL REY*

Aquí sentado miro cómo crece
La obra, dulce y dura, vasta y una,
Protegiendo, tras el muro de piedra,
La fe, mi diamante de un más claro día,
Tierra hecha luz, la luz en nuestros hechos.   5

La luz no es mía, sino la tierra sólo,
La tierra díscola y diversa, que yo ahora
Tengo bajo mi brazo y siento doblegarse,
Fuerza febril, felina y femenina,
Nula por mi poder, pero latente.   10

Acaso nadie excepto yo noticie,
Por el aire tranquilo de mis pueblos,
El furor de la fiera a quien cadenas forjo,
Codiciosa del mal, y cuya presa
Extremada sería el sueño que edifico.   15

La profecía poética se cumple,
El tiempo de un monarca, un imperio y una espada;
El imperio está aquí, como juguete
Rutilante a mis pies; la espada, iris y rayo,
Por mi mano la llevan capitanes.   20

Todo traza mi trama, va hacia el centro
Austero y áulico¹, corazón del Estado,
Adonde llega, como la sangre de las venas,
Para inspirarse e informarse, convertido
En fluir no mortal de leyenda y de historia.   25

---

* Todo el poema es un monólogo del rey Felipe II sobre el Imperio, el poder, la fe y el problema de Dios.
¹ *Áulico:* Cortesano.

En acto y en idea la vida ya se ajusta
A mi canon católico, por campos,
Por ciudades, por mares transitables
Hasta tierras de allende, oscuras descubiertas,
Y el hombre es libre en mí, como yo en él soy siervo.   30

Maté a la variedad, y ésa es mi gloria,
Si alguna gloria puede reivindicar el hombre
Por singular que su estación le haga,
Como la mía. Ninguno igual a mí por el orgullo
Y la humildad, que me hacen monarca con dos faces.   35

La expresión de mi ser contradictorio,
Que se exalta por sentirse inhumano,
Que se humilla por sentirse imposible,
Este muro la cifra, entre el verdor adusto,
La sierra gris, los claros aires.   40

Una armonía total, irresistible, surge;
Colmena de musical dulzor, resuena todo;
Es en su celda el fraile, donde doma el deseo;
En su campo el soldado, donde forja la fuerza;
En su espejo el poeta, donde refleja el mito.   45

Sé que estas vidas, por quienes yo respondo,
En poco servirían de no seguir unidas
Frente a una gran tarea, grande aunque absurda;
Su voluntad a solas no asintiendo
Con voluntad contigua. Mi cetro es su cayado.   50

Envidiosos, ilógicos, rebeldes,
Aptos a querellarse con sus sombras,
Por palabra ingeniosa de su mal distraídos,
Que aprecian igualmente el andrajo y el ámbar,
Y en triunfo y ruina hallan igual reposo.   55

Pero el buen hortelano a la tierra que tiene
No la discute, sino saca el fruto;
Y yo de tierra mala trazo un huerto
Sellado para el mundo todo,
Que huraño lo contempla concertando hundirlo.   60

Mas tras de mí, ¿qué reserva la suerte
Para mi obra? Subir más no es posible,
Sino quedar en el cenit, adonde
Como astro se vea
Para glosa y por gloria de los siglos futuros.   65

La mutación es mi desasosiego,
Que victorias de un día en derrotas se cambien.
Mi reino triunfante ¿ha de ver su ruina?
O peor pesadilla ¿vivirá sólo en eco,
Como en concha vacía vive el mar consumido?   70

Mi obra no está afuera, sino adentro,
En el alma; y el alma, en los azares
Del bien y el mal, es igual a sí misma:
Ni nace, ni perece. Y esto que yo edifico
No es piedra, sino alma, el fuego inextinguible.   75

El fuego encierra al dogma y el dogma encierra al
    hombre.
Aquellos que otra cosa defendieran
Son ilusos heréticos, aunque clamen amparo
En Cristo. César es quien conviene
Lo que es suyo y de Cristo.   80

Cuando Alguno en Su nombre regresara al mundo
Que por Él yo administro, encontraría,
Conclusa y redimida, la obra ya perfecta;
Intento de cambiarla ha de ser impostura,
Y a Su impostor, si no la cruz, la hoguera aguarda. 85

No puedo equivocarme, no debo equivocarme;
Y aunque me equivocase haría
Él que mi error se tornara
Verdad, pues que mi error no existe
Sino por Él, y por Él acertando me equivoco.   90

Bien pesado secreto es éste, el sofisma
Del poder, para llevarlo un hombre
Solo, como mal repulsivo que royese
El cuerpo. Y eso ha de exceptuarme
Él. ¿Me daría si no olvido en lo pequeño?   95

Manos atareadas van alzando la obra,
Que viva aquí, en la mente, ha de vivir lo mismo
Para el mundo exterior, sin mudar el oriente
Del sueño pensativo, sin perder la pureza
Que como voluntad siento inflexible.   100

Y el futuro será, inmóvil, lo pasado:
Imagen de esos muros en el agua.

ESCULTURA INACABADA

(DAVID-APOLO, DE MIGUEL ÁNGEL)

Sorprendido, ah, sorprendido
Desnudo, en una pausa,
Por la selva remota,
Traspuesto el tiempo.

Adherido a la tierra   5
Todavía, al tronco
Y a la roca, en la frontera
De infancia a mocedades.

Es el instante, el alba
Pura del cuerpo,   10
En el secreto absorto
De lo que es virgen.

Reposo y movimiento
Coinciden, ya en los brazos,
El sexo, flor no abierta,   15
O los muslos, arco de lira.

Por el dintel suspenso
De su propia existencia,
Se mira ensimismado
Y a sí se desconoce.   20

Dentro, en el pensamiento,
Escucha a su destino,
Caída la cabeza,
Entornados los ojos.

Calla. Que no despierte,   25
Cuando cae en el tiempo,
Ya sus eternidades
Perdidas hoy.

Mas tú mira, contempla
Largo esa hermosura,   30
Que la pasión ignora;
Contempla, voz y llanto.

Fue amor quien la trajera,
Amor, la sola fuerza humana,
Desde el no ser, al sueño   35
Donde latente asoma.

LAS ISLAS

Recuerdo que tocamos puerto tras larga travesía,
Y dejando el navío y el muelle, por callejas
(Entre el polvo mezclados pétalos y escamas),
Llegué a la plaza, donde estaban los bazares.
Era grande el calor, la sombra poca.   5

Con el pecho desnudo iba, distraído
Como si familiares fuesen la villa y sus costumbres,
Y miré en un portal al mercader de sedas
Que desplegaba una, color de aurora, fría a los ojos,
Sintiendo sin tocarla la suavidad escurridiza.   10

Ante un ciego cantor estuve largo espacio,
Único espectador, y parecía cantar para mí solo.
Compré luego a una niña un ramo de jazmines
Amarillentos, pero en su olor ajado tuvo alivio
La dejadez extraña que empezaba a aquejarme.   15

Desanudada la faja en mi cintura,
Unos muchachos que pasaban, reían,
Volviendo la cabeza. Acaso me creyeron
Ebrio. Los ojos de uno de ellos eran
Como la noche, profundos y estrellados.   20

La humedad de la piel pronto se disipaba
Por el aire ardoroso, a cuyo influjo
Mi pereza crecía. Me detuve indeciso,
Acariciando el cuerpo, sintiendo su tibieza
Lisa, como si acariciara un cuerpo ajeno.   25

Seguí, por parajes nunca vistos,
Mas presentidos, igual a quien camina
Hacia cita amistosa. Deponía la tarde
Su fuerza, cuando al fin quise
Buscar reposo ante un umbral cerrado.   30

Era un barrio tranquilo. Mis párpados pesaban
(Acaso dormí mucho), y al abrirlos de nuevo
Ya el sol estaba bajo en el muro de enfrente.
Una presencia ajena pareció despertarme,
Porque al volver la cara vi una mujer, y sonreía.   35

Como si de mi anhelo fuese proyección, respuesta
Ante demanda informulada, me miraba, insegura;
Aunque yo nada dije, con gesto silencioso,
Invitándome adentro, me tomó de la mano.
La seguí, con recelo más débil que el deseo.   40

La sala estaba oscura (ya caía la tarde).
Sobre la estera había almohadas, un cestillo
Anidando manojos de magnolias mojadas,
De excesiva fragancia. Filtró la celosía
Unas palabras de la calle: «Le encontraron muerto».   45

Las pensé referidas a un camarada,
Quizá presagio de mi sino. Pero ella,
Atrayéndome a sí, sobre la alfombra
El ropaje tiró, como cuchillo sin la vaina,
Fría, dura, flexible, escurridiza.   50

Mis manos en sus pechos, su cintura
Quebrarse pareció al extenderme sobre ella,
Y en el silencio circundante, al ritmo
De los cuerpos, oí su brazalete,
Queja del ave fabulosa que escapaba.   55

La oscuridad llenó la sala toda
Cuando saciado y satisfecho quise irme.
En la puerta (ella como mi sombra me seguía),
Al cruzar su dintel sentí que entre mis dedos
Quedaba el brazalete, ahora inerte y mudo.   60

Mucho tiempo ha pasado. No aceptara
Revivir otra vez esta existencia.
Mas no sé qué daría por sólo aquel instante
Revivirlo. Bien sé que apenas tengo con qué tiente
Al destino, ni el destino tentarse dejaría.   65

Cuando el recuerdo así vuelve sobre sus huellas
(¿No es el recuerdo la impotencia del deseo?),
Es que a él, como a mí, la vejez vence;
Y acaso ya no tengo lo único que tuve:
Deseo, a quien rendida la ocasión le sigue.   70

VIENDO VOLVER

Irías, y verías
Todo igual, cambiado todo,
Así como tú eres
El mismo y otro. ¿Un río
A cada instante   5
No es él y diferente?

Irías, en apariencia
Distraído y aburrido
En secreto, mirando,
Pues el mirar es sólo   10
La forma en que persiste
El antiguo deseo.

Mirando, estimarías
(La mirada acaricia
Fijándose o desdeña   15
Apartándose) irreparable todo
Ya, y perdido, o ganado
Acaso, quién lo sabe.

Así, con pasmo indiferente,
Como llevado de una mano,   20
Llegaría al mundo
Que fue tuyo otro tiempo,
Y allí le encontrarías,
Al tú de ayer, que es otro hoy.

Impotente, extasiado   25
Y solo, como un árbol,
Le verías, el futuro
Soñando, sin presente,
A espera del amigo,
Cuando el amigo es él y en él le espera.   30

Al verle, tú querrías
Irte, ajeno entonces,
Sin nada que decirle,
Pensando que la vida
Era una burla delicada,   35
Y que debe ignorarlo el mozo hoy.

*Con las horas contadas
(1950-1956)*

ÁGUILA Y ROSA *

Lo que el bisabuelo sembrara, el padre quiere
    cosecharlo,
Y para su codicia de coronas, ocasión es ésta
De añadir una más. En su rincón, Castilla nada
    dice,
Mas paga, como siempre, con dinero, con sudor,
    con sangre.
Una vez protestó. ¿Y ahora? De nuevo va al tablero
    su destino.   5

Cuando el príncipe toca puerto en Inglaterra, es el
    verano.
El cielo envía entonces alguna luz sobre la isla,
Regocijando tierra adentro tantos prados morosos,
Y a la sangre invernal la despierta y provoca.
Aunque sólo dure unos días, la luz parece eterna.   10

Dura tarea es, y fastidiosa, la del poder, caído
En sus manos tan mozas todavía, y sin costumbre
De la tierra y la gente, que acaso no le quieran
    y recelen,
Pero sobre la cual debe reinar, bajo la cual debe
    doblegarse,
Postergando el ser propio y sus modos de España.   15

Festivos trajes toda, mas semblantes nublados,
La muchedumbre está en el puerto, y le mira
Entre curiosa y enemiga, como al que viene de otro
    mundo.
Ésa debe regir. Su voluntad es grande y está pronta
A la llamada del destino, frente a la cual no hay
    vuelta.   20

    * El poema se refiere al matrimonio de Felipe II con la reina de
Inglaterra María Tudor. Estos personajes se encarnan en el poema con
los nombres de Águila y Rosa, respectivamente.

Pendones y estandartes le saludan, y el mozo,
    a quien dotara
Tan bien naturaleza en apariencia y pensamiento,
Un poco en su reserva cede y en su distancia otro,
Para hallar el latido de aquellas criaturas,
Aunque todo parece, allá en su mente, remoto,
    inabordable.   25

Ella en su camarín espera, casi marchito el cuerpo,
Dentro del cual la adolescencia no vivida tiembla
De deseo y angustia, las galas suntuosas subrayando
El empaque monástico, en los labios la difícil
    sonrisa,
En la mano esa rosa, esa esperanza del amor tardío.   30

Si a la herencia paterna, densa de infamia y crimen,
La materna rescata, limpia en el sufrimiento
    silencioso,
Tras los años de escarnio, su Dios quizá le debe
Un pedazo de dicha, algo que alivie el dejo amargo
De la vida, aunque sea ahora, cuando la mocedad
    se ha ido.   35

Repican las campanas y vibran las trompetas,
Todo el aire está lleno de un rojo són metálico,
Como alfombra de príncipe. Encima el cielo abre
Su más pomposo azul, sus nubes más marmóreas.
Ella supo esperar, desesperando, la llegada.   40

¿No es la voz del arcángel ese clamor que oye,
Como salutación del hijo que ha de encarnar su
    vientre?
En el dintel está. Por sus ojos nublados entra la
    imagen:
Negra figura airosa, relámpago dorado del cabello,
Azul de unas pupilas que a las suyas se cruzan.   45

276

Mas la gala del mundo no es la fiesta del cielo,
Y con ceño nublado amanece a las bodas,
Aunque azul está en ella, y brilla en diamantes
Sobre la seda alba, y templa en voces puras.
Postrados ante Dios, María y Felipe son uno en la
    carne.   50

Ama Felipe la calma, la quietud contemplativa;
Si un mundo bello hay fuera, otro más bello hay
    dentro.
Quiere vivir en ambos, pero estos seres sólo
Viven afuera, y el ocio fértil de la mente les aburre.
Por eso él debe ahora hacer jornada activa
    y practicar deportes.   55

Cuán bien lo disimula su aburrimiento. Habla,
    bebe, juega.
Domesticado creen al tan soberbio mozo. Mas sabe
    el sutil modo
De servir cuando manda, de exaltarse cuando así
    se humilla,
Y de su entraña a veces vienen dichos preñados de
    futuro:
«Prefiero no reinar, a reinar sobre heréticos»   60

Aunque vencido su disgusto es afable o lo parece,
Y dice blandamente, cuando uno temeroso se le
    acerca. «Sosegaos»,
No se lo perdonaron, no le perdonan nunca
Este miedo que en su presencia les doblaba.
Aún por eso le odian, odiando ahí aquella imagen
    de sí mismos.   65

Así murmuran de él. Así le envidian. Y con rabia
Denigran su grandeza, que no sabe prestarse
A los prácticos modos de engañar la conciencia,
A la nación de hormigas la tierra socavando,
Al pueblo de tenderos acumulando, y no siempre lo
    propio.   70

Ella gobierna y calla; ama y en el hijo confía,
Como aguardó al esposo, aguardándole ahora,
Y al creerle llegado el gozo la hace joven.
Pero todo fue engaño; rezó y esperó en vano.
Y con el hijo ve escapar al esposo juntamente.   75

El mozo castellano, lejos de cuanto es suyo,
Haciendo de marido junto a la reina estéril,
Junto a un pueblo relapso de monarca católico,
Mira a sus españoles, pero nada les dice.
«Sácame de aquí, ay, Dios de mi tierra», canta un
     día un soldado.   80

Ya la pausa es bien larga, y la impaciencia es
     grande.
Su alma no está aquí, sino donde ha nacido.
Su centro está en su tierra, su hogar, al que será tan
     dulce
Cuidarlo, dirigirlo. Ni el mismo amor podría
Acaso retenerle. Y a esta mujer ¿la ama?   85

No son los nuestros afectos ni tareas
Si en tierra que no es nuestra los hallamos.
¿Pudo sino marcharse? Su mano juntos tuvo
En la pausa imposible, como en la del poniente
Luz y sombra, el cetro contrario de dos pueblos.   90

Ya no le queda a ella sino morir a solas,
Sin hijo y sin esposo, mirando el cielo bajo
Que pesa como losa anticipada. Pero su vida ha
     conocido,
Si no la flor, su sombra; entonces no fue estéril,
Y valía la pena de vivirse, con toda esa amargura.   95

Y a él, hacer que el mundo escuche y siga
La pauta de la fe. Pudo mover los hombres,
Hasta donde terminan los designios humanos
Y empiezan los divinos. Ahí su voluntad descansa.
Con ese acatamiento reina y muere y vive.   100

NOCTURNO YANQUI

La lámpara y la cortina
Al pueblo en su sombra excluyen.
Sueña ahora,
Si puedes, si te contentas
Con sueños, cuanto te faltan   5
Realidades.

Estás aquí, de regreso
Del mundo, ayer vivo, hoy
Cuerpo en pena,
Esperando locamente,   10
Alrededor tuyo, amigos
Y sus voces.

Callas y escuchas. No. Nada
Oyes, excepto tu sangre,
Su latido   15
Incansable, temeroso;
Y atención prestas a otra
Cosa inquieta.

Es la madera, que cruje;
Es el radiador, que silba.   20
Un bostezo.
Pausa. Y el reloj consultas:
Todavía temprano para
Acostarte.

Tomas un libro. Mas piensas   25
Que has leído demasiado
Con los ojos,
Y a tus años la lectura
Mejor es recuerdo de unos
Libros viejos,   30
Pero con nuevo sentido.

¿Qué hacer? Porque tiempo hay.
Es temprano.
Todo el invierno te espera,
Y la primavera entonces.   35
Tiempo tienes.

¿Mucho? ¿Cuánto? ¿Y hasta cuándo
El tiempo al hombre le dura?
«No, que es tarde,
Es tarde», repite alguno   40
Dentro de ti, que no eres.
Y suspiras.

La vida en tiempo se vive,
Tu eternidad es ahora,
Porque luego   45
No habrá tiempo para nada
Tuyo. Gana tiempo. ¿Y cuándo?

Alguien dijo:
«El tiempo y yo para otros
Dos». ¿Cuáles dos? ¿Dos lectores   50
De mañana?
Mas tus lectores, si nacen,
Y tu tiempo, no coinciden.
Estás solo
Frente al tiempo, con tu vida   55
Sin vivir.

                    Remordimiento.
Fuiste joven,
Pero nunca lo supiste
Hasta hoy, que el ave ha huido   60
De tu mano.

La mocedad dentro duele,
Tú su presa vengadora,
Conociendo
Que, pues no le va esta cara   65
Ni el pelo blanco, es inútil
Por tardía.

El trabajo alivia a otros
De lo que no tiene cura,
Según dicen.   70
¿Cuántos años ahora tienes
De trabajo? ¿Veinte y pico
Mal contados?

Trabajo fue que no compra
Para ti la independencia   75
Relativa.
A otro menester el mundo,
Generoso como siempre,
Te demanda.

Y profesas pues, ganando   80
Tu vida, no con esfuerzo,
Con fastidio.
Nadie enseña lo que importa,
Que eso ha de aprenderlo el hombre
Por sí solo.   85

Lo mejor que has sido, diste,
Lo mejor de tu existencia,
A una sombra:
Al afán de hacerte digno,
Al deseo de excederte,   90
Esperando
Siempre mañana otro día
Que, aunque tarde, justifique
Tu pretexto.

Cierto que tú te esforzaste   95
Por sino y amor de una
Criatura,
Mito moceril, buscando
Desde siempre, y al servirla,
Ser quien eres.   100

Y al que eras le has hallado.
¿Mas es la verdad del hombre
Para él solo,
Como un inútil secreto?
¿Por qué no poner la vida   105
A otra cosa?

Quien eres, tu vida era;
Uno sin otro no sois,
Tú lo sabes.
Y es fuerza seguir, entonces,   110
Aun el miraje perdido,
Hasta el día
Que la historia se termine,
Para ti al menos.

                          Y piensas   115
Que así vuelves
Donde estabas al comienzo
Del soliloquio: contigo
Y sin nadie.

Mata la luz, y a la cama.   120

RETRATO DE POETA*

(FRAY H. F. PARAVICINO, POR EL GRECO)

A Ramón Gaya

¿También tú aquí, hermano, amigo,
Maestro, en este limbo? ¿Quién te trajo,
Locura de los nuestros, que es la nuestra,
Como a mí? ¿O codicia, vendiendo el patrimonio
No ganado, sino heredado, de aquellos que no saben   5
Quererlo? Tú no puedes hablarme, y yo apenas
Si puedo hablar. Mas tus ojos me miran
Como si a ver un pensamiento me llamaran.

Y pienso. Estás mirando allá. Asistes
Al tiempo aquel parado, a lo que era   10
En el momento aquel, cuando el pintor termina
Y te deja mirando quietamente tu mundo
A la ventana: aquel paisaje bronco
De rocas y de encinas, verde todo y moreno,
En azul contrastado a la distancia,   15
De un contorno tan neto que parece triste.

Aquella tierra estás mirando, la ciudad aquella,
La gente aquella. El brillante revuelo
Miras de terciopelo y seda, de metales
Y esmaltes, de plumajes y blondas,   20
Con su estremecimiento, su palpitar humano
Que agita el aire como ala enloquecida
De mediodía. Por eso tu mirada
Está mirando así, nostálgica, indulgente.

---

* El poema se refiere al retrato hecho por el Greco a Fray Hortensio
Félix Paravicino (Madrid, 1580-1633). Teólogo y religioso trinitario,
fue uno de los más grandes oradores sagrados de su época y predica-
dor de Felipe III y Felipe IV. Como poeta pertenece a la escuela de
Góngora, así sus *Obras póstumas divinas y humanas,* publicadas
en 1641. El cuadro en el que se inspira Cernuda se guarda en el Museo
de Bellas Artes de Boston.

El instinto te dice que ese vivir soberbio   25
Levanta la palabra. La palabra es más plena
Ahí, más rica, y fulge igual que otros joyeles,
Otras espadas, al cruzar sus destellos y sus filos
En el campo teñido de poniente y de sangre,
En la noche encendida, al compás del sarao   30
O del rezo en la nave. Esa palabra, de la cual tú
    conoces,
Por el verso y la plática, su poder y su hechizo.

Esa palabra de ti amada, sometiendo
A la encumbrada muchedumbre, le recuerda
Cómo va nuestra fe hacia las cosas   35
Ya no vistas afuera con los ojos,
Aunque dentro las ven tan claras nuestras almas;
Las cosas mismas que sostienen tu vida,
Como la tierra aquella, sus encinas, sus rocas,
Que estás ahí mirando quietamente.   40

Yo no las veo ya, y apenas si ahora escucho,
Gracias a ti, su dejo adormecido
Queriendo resurgir, buscando el aire
Otra vez. En los nidos de antaño
No hay pájaros, amigo[1]. Ahí perdona y comprende; 45
Tan caídos estamos que ni la fe nos queda.
Me miras, y tus labios, con pausa reflexiva,
Devoran silenciosos las palabras amargas.

Dime. Dime. No esas cosas amargas, las sutiles,
Hondas, afectuosas, que mi oído   50
Jamás escucha. Como concha vacía,
Mi oído guarda largamente la nostalgia
De su mundo extinguido. Yo aquí solo,

---

[1] Estos versos (44-45) están inspirados en la frase que don Quijote dice en su agonía: «Señores —dijo don Quijote—, vámonos poco a poco, pues ya en los nidos de antaño, no hay pájaros hogaño.» Miguel de Cervantes, *Don Quijote de la Mancha*, Edición, estudio y notas de Juan Bautista Avalle-Arce, Madrid, Alhambra, 1979, segunda parte, capítulo LXXIV, pág. 606.

Aun más que lo estás tú, mi hermano y mi maestro,
Mi ausencia en esa tuya busca acorde,   55
Como ola en la ola. Dime, amigo.

¿Recuerdas? ¿En qué miedos el acento
Armonioso habéis dejado? ¿Lo recuerdas?
Aquel pájaro tuyo adolecía
De esta misma pasión que aquí me trae   60
Frente a ti. Y aunque yo estoy atado
A prisión menos pía que la suya,
Aún me solicita el viento, el viento
Nuestro, que animó nuestras palabras.

Amigo, amigo, no me hablas. Quietamente   65
Sentado ahí, en dejadez airosa,
La mano delicada marcando con un dedo
El pasaje en el libro, erguido como a escucha
Del coloquio un momento interrumpido,
Miras tu mundo y en tu mundo vives.   70
Tú no sufres ausencia, no la sientes;
pero por ti y por mí sintiendo, la deploro.

El norte nos devora, presos en esta tierra,
La fortaleza del fastidio atareado,
Por donde sólo van sombras de hombres,   75
Y entre ellas mi sombra, aunque ésta en ocio,
Y en su ocio conoce más la burla amarga
De nuestra suerte. Tú viviste tu día,
Y en él, con otra vida que el pintor te infunde,
Existes hoy. Yo ¿estoy viviendo el mío?   80

¿Yo? El instrumento dulce y animado,
Un eco aquí de las tristezas nuestras.

PALABRA AMADA

—¿Qué palabra es la que más te gusta?
—¿Una palabra? ¿Tan sólo una?
¿Y quién responde a esa pregunta?

—¿La prefieres por su sonido?
—Por lo callado de su ritmo,   5
Que deja un eco cuando se ha dicho.

—¿O la prefieres por lo que expresa?
—Por todo lo que en ella tiembla,
Hiriendo el pecho como saeta.

—Esa palabra dímela tú.   10
—Esa palabra es: andaluz.

IN MEMORIAM A. G. *

Con él su vida entera coincidía,
Toda promesa y realidad iguales,
La mocedad austera vuelta apenas
Gozosa madurez, tan demoradas
Como día estival. Así olvidaste,   5
Amando su existir, temer su muerte.

Pero su muerte, al allegarle ahora,
Calló la voz que cerca nunca oíste,
A cuyos ecos despertaron tantos
Sueños del mundo en ti nunca vividos,   10
Hoy no soñados porque ya son vida.

Cuando para seguir nos falta aliento,
Roto el mágico encanto de las cosas,
Si en soledad alzabas la cabeza,
Sonreír le veías tras sus libros.   15
Ya entre ellos y tú falta su sombra,
Falta su sombra noble ya en la vida.

Usándonos a ciegas todo sigue,
Aunque unos pocos, como tú, os digáis:
Lo que con él termina en nuestro mundo   20
No volverá a este mundo. Y no hay consuelo,
Que el tiempo es duro y sin virtud los hombres.
Bien pocos seres que admirar te quedan.

---

* El poema está dedicado a André Gide (1869-1951). Novelista francés, fue una de las personalidades más interesantes de la moderna literatura francesa. Escribió novelas, ensayos, poesías, crítica y teatro.
Entre sus obras principales están: *Los alimentos terrestres, El inmora-
lista, La puerta estrecha, Sinfonía pastoral, Los sótanos del Vaticano,
Isabel, Corydón, Los monederos falsos,* etc. En 1947 se le concedió el
Premio Nobel de Literatura. Su obra repercutió de forma decisiva en
la inclinación amorosa de Cernuda.

PAÍS

Tus ojos son de donde
La nieve no ha manchado
La luz, y entre las palmas
El aire
Invisible es de claro.   5

Tu deseo es de donde
A los cuerpos se alía
Lo animal con la gracia
Secreta
De mirada y sonrisa.   10

Tu existir es de donde
Percibe el pensamiento,
Por la arena de mares
Amigos,
La eternidad en tiempo.   15

LIMBO

A Octavio Paz

La plaza sola (gris el aire,
Negros los árboles, la tierra
Manchada por la nieve),
Parecía, no realidad, mas copia
Triste sin realidad. Entonces,   5
Ante el umbral, dijiste:
Viviendo aquí serías
Fantasma de ti mismo.

Inhóspita en su adorno
Parsimonioso, porcelanas, bronces,   10
Muebles chinos, la casa
Oscura toda era,
Pálidas sus ventanas sobre el río,
Y el color se escondía
En un retablo español, en un lienzo   15
Francés, su brío amedrentado.

Entre aquellos despojos,
Provecto, el dueño estaba
Sentando junto a su retrato
Por artista a la moda en años idos,   20
Imagen fatua y fácil
Del *dilettante,* divertido entonces
Comprando lo que una fe creara
En otro tiempo y otra tierra.

Allí con sus iguales,   25
Damas imperativas bajo sus afeites,
Caballeros seguros de sí mismos,
Rito social cumplía,
Y entre el diálogo moroso,
Tú oyendo alguien que dijo: «Me ofrecieron   30
La primera edición de un poeta raro,
Y la he comprado», tu emoción callaste.

Así, pensabas, el poeta
Vive para esto, para esto
Noches y días amargos, sin ayuda   35
De nadie, en la contienda
Adonde, como el fénix, muere y nace,
Para que años después, siglos
Después, obtenga al fin el displicente
Favor de un grande en este mundo.   40

Su vida ya puede excusarse,
Porque ha muerto del todo;
Su trabajo ahora cuenta,
Domesticado para el mundo de ellos,
Como otro objeto vano,   45
Otro ornamento inútil;
Y tú cobarde, mudo
Te despediste ahí, como el que asiente,
Más allá de la muerte, a la injusticia.

Mejor la destrucción, el fuego.   50

OTRA FECHA

Aires claros, nopal y palma,
En los alrededores, saben,
Si no igual, casi igual a como
La tierra tuya aquella antes.

También tú igual me pareces,   5
O casi igual, al que antes eras:
En él casi sólo consiste,
De ayer a hoy, la diferencia.

En tu hoy más que precario
Nada anterior echas de menos,   10
Porque lo ido está bien ido,
Como lo muerto está bien muerto.

El futuro, a pesar de todo,
Usa un señuelo que te engaña:
El sí y el no de azar no usado,   15
El no sé qué donde algo aguarda.

Tú lo sabes, aunque tan tibio
Es tu vivir entre la gente,
Pues si nada crees, aun queriendo,
Aun sin querer crees a veces.   20

NOCHEBUENA CINCUENTA Y UNA

Amor, dios oscuro,
Que a nosotros viene
Otra vez, probando
Su esperanza siempre.

Ha nacido. El frío,   5
La sombra, la muerte,
Todo el desamparo
Humano es su suerte.

Desamparo humano
Que el amor no puede   10
Ayudar. ¿Podría
Él, cuando tan débil

Contra nuestro engaño
Su fuerza se vuelve,
Siendo sólo aliento   15
De bestia inocente?

Velad pues, pastores;
Adorad pues, reyes,
Su sueño amoroso
Que el mundo escarnece.   20

LO MÁS FRÁGIL ES LO QUE DURA

¿Tu mocedad? No es más
Que un olor de azahar

En plazuela a la tarde
Cuando la luz decae

Y algún farol se enciende.   5
Su perfume lo sientes

Alzarse de un pasado
Ayer tuyo, hoy extraño,

Envolviéndote: aroma
Único y sin memoria   10

De todo, sea la sangre,
Amores o amistades

En tu existir primero,
Cuando cualquier deseo

El tiempo pronto iba   15
A realizarlo un día

De aquel futuro; aroma
Furtivo como sombra,

Moviendo tus sentidos
Con un escalofrío.   20

Y ves que es lo más hondo
De tu vivir un poco

De eso que llaman nada
Tantas gentes sensatas:

Un olor de azahar,   25
Aire. ¿Hubo algo más?

Poemas para un cuerpo

I

SALVADOR

Sálvale o condénale,
Porque ya su destino
Está en tus manos, abolido.

Si eres salvador, sálvale
De ti y de él; la violencia   5
De no ser uno en ti, aquiétala.

O si no lo eres, condénale,
Para que a su deseo
Suceda otro tormento.

Sálvale o condénale,   10
Pero así no le dejes
Seguir vivo, y perderte.

II

Despedida

La calle, sola a medianoche,
Doblaba en eco vuestro paso.
Llegados a la esquina fue el momento;
Arma presta, el espacio.

Eras tú quien partía,   5
Fuiste primero tú el que rompiste,
Así el ánima rompe sola,
Con terror a ser libre.

Y entró la noche en ti, materia tuya
Su vastedad desierta,   10
Desnudo ya de cuerpo tan amigo
Que contigo uno era.

III

PARA TI, PARA NADIE

Pues no basta el recuerdo,
Cuando aún queda tiempo,

Alguno que se aleja
Vuelve atrás la cabeza,

O aquel que ya se ha ido,   5
En algo posesivo,

Una carta, un retrato,
Los materiales rasgos

Busca, la fiel presencia
Con realidad terrena,   10

Y yo, este Luis Cernuda
Incógnito, que dura

Tan sólo un breve espacio
De amor esperanzado,

Antes que el plazo acabe   15
De vivir, a tu imagen

Tan querida me vuelvo
Aquí, en el pensamiento,

Y aunque tú no has de verlas,
Para hablar con tu ausencia   20

Estas líneas escribo,
Únicamente por estar contigo.

IV

SOMBRA DE MÍ

Bien sé yo que esta imagen
Fija siempre en la mente
No eres tú, sino sombra
Del amor que en mí existe
Antes que el tiempo acabe.   5

Mi amor así visible me pareces,
Por mí dotado de esa gracia misma
Que me hace sufrir, llorar, desesperarme
De todo a veces, mientras otras
Me levanta hasta el cielo en nuestra vida,   10
Sintiendo las dulzuras que se guardan
Sólo a los elegidos tras el mundo.

Y aunque conozco eso, luego pienso
Que sin ti, sin el raro
Pretexto que me diste,   15
Mi amor, que afuera está con su ternura,
Allá dentro de mí hoy seguiría
Dormido todavía y a la espera
De alguien que, a su llamada,
Le hiciera al fin latir gozosamente.   20

Entonces te doy gracias y te digo:
Para esto vine al mundo, y a esperarte;
Para vivir por ti, como tú vives
Por mí, aunque no lo sepas,
Por este amor tan hondo que te tengo.   25

300

V

EL AMANTE ESPERA

Y cuánto te importuno,
Señor, rogándote me vuelvas
Lo perdido, ya otras veces perdido
Y por ti recobrado para mí, que parece
Imposible guardarlo.   5

                              Nuevamente
Llamo a tu compasión, pues es la sola
Cosa que quiero bien, y tú la sola
Ayuda con que cuento.

                              Mas rogándote   10
Así, conozco que es pecado,
Ocasión de pecar lo que te pido,
Y aún no guardo silencio,
Ni me resigno al fin a la renuncia.

Tantos años vividos   15
En soledad y hastío, en hastío y pobreza,
Trajeron tras de ellos esta dicha,
Tan honda para mí, que así ya puedo
Justificar con ella lo pasado.

Por eso insisto aún, Señor, por eso vengo   20
De nuevo a ti, temiendo y aun seguro
De que si soy blasfemo me perdones:
Devuélveme, Señor, lo que he perdido,
El solo ser por quien vivir deseo.

VIII

VIVIENDO SUEÑOS

Tantos años que pasaron
Con mis soledades solo
Y hoy tú duermes a mi lado.

Son los caprichos del sino,
Aunque con sus circunloquios   5
Cuánto tiempo no he perdido.

Mas ahora en fin llegaste
De su mano, y aún no creo,
Despierto en el sueño, hallarte.

Oscura como la lluvia   10
Es tu existencia, y tus ojos,
Aunque dan luz, es oscura.

Pero de mí qué sería
Sin este pretexto tuyo
Que acompaña así la vida.   15

Miro y busco por la tierra;
Nada hay en ella que valga
Lo que tu sola presencia.

Cuando le parezca a alguno
Que entre lo mucho divago,   20
Poco de cariño supo.

Lo raro es que al mismo tiempo
Conozco que tú no existes
Fuera de mi pensamiento.

IX

DE DÓNDE VIENES

Sí alguna vez te oigo
Hablar de padre, madre, hermanos,
Mi imaginar no vence a la extrañeza
De que sea tu existir originado en otros,
En otros repetido,   5
Cuando único me parece,
Creado por mi amor; igual al árbol,
A la nube o al agua
Que están ahí, mas nuestros
Son y vienen de nosotros   10
Porque una vez les vimos
Como jamás les viera nadie antes.

Un puro conocer te dio la vida.

X

CONTIGO

¿Mi tierra?
Mi tierra eres tú.

¿Mi gente?
Mi gente eres tú.

El destierro y la muerte   5
Para mí están adonde
No estés tú.

¿Y mi vida?
Dime, mi vida,
¿Qué es, si no eres tú?   10

XI

EL AMANTE DIVAGA

Acaso en el infierno el tiempo tenga
La ficción de medida que le damos
Aquí, o acaso tenga aquella desmesura
De momentos preciosos en la vida.
No sé. Mas allá el tiempo, según dicen,   5
Marcha hacia atrás, para irnos desviviendo.

Así esta historia nuestra, mía y tuya
(Mejor será decir nada más mía,
Aunque a tu parte queden la ocasión y el motivo,
Que no es poco), otra vez viviremos   10
Tú y yo (o viviré yo sólo)
De su fin al comienzo.

Extraño será entonces
Pasar de los principios del olvido
A aquel fervor iluso, cuando todo   15
Se animaba por ti, porque vivías,
Y de ahí a la ignorancia
De ti, anterior a nuestro hallazgo.

Pero en infiernos, de ese modo,
Dejaría de creer, y al mismo tiempo   20
La idea de paraísos desechara;
Infierno y paraíso,
¿No serán cosa nuestra, de esta vida
Terrena a la que estamos hechos y es bastante?

Infierno y paraíso   25
Los creamos aquí, con nuestros actos
Donde el amor y el odio brotan juntos,
Animando el vivir. Y yo no quiero
Vida en la cual ya tú no tengas parte:
Olvido de ti, sí, más no ignorancia tuya.   30

El camino que sube
Y el camino que baja
Uno y el mismo son; y mi deseo
Es que al fin de uno y de otro,
Con odio o con amor, con olvido o memoria,   35
Tu existir esté allí, mi infierno y paraíso.

XIV

PRECIO DE UN CUERPO

Cuando algún cuerpo hermoso,
Como el tuyo, nos lleva
Tras de sí, él mismo no comprende,
Sólo el amante y el amor lo saben.
(Amor, terror de soledad humana.)   5

Esta humillante servidumbre,
Necesidad de gastar la ternura
En un ser que llenamos
Con nuestro pensamiento,
Vivo de nuestra vida.   10

Él da el motivo,
Lo diste tú; porque tú existes
Afuera como sombra de algo,
Una sombra perfecta
De aquel afán, que es del amante, mío.   15

Si yo te hablase
Cómo el amor depara
Su razón al vivir y su locura,
Tú no comprenderías.
Por eso nada digo.   20

La hermosura, inconsciente
De su propia celada, cobró la presa
Y sigue. Así, por cada instante
De goce, el precio está pagado:
Este infierno de angustia y de deseo.   25

XVI

UN HOMBRE CON SU AMOR

Si todo fuera dicho
Y entre tú y yo la cuenta
Se saldara, aún tendría
Con tu cuerpo una deuda.

Pues ¿quién pondría precio   5
A esta paz, olvidado
En ti, que al fin conocen
Mis labios por tus labios?

En tregua con la vida,
No saber, querer nada,   10
Ni esperar: tu presencia
Y mi amor. Eso basta.

Tú y mi amor, mientras miro
Dormir tu cuerpo cuando
Amanece. Así mira   15
Un dios lo que ha creado.

Mas mi amor nada puede
Sin que tu cuerpo acceda:
Él sólo informa un mito
En tu hermosa materia.   20

Desolación de la Quimera
(1956-1962)

MOZART

[1756-1956]

I

Si alguno alguna vez te preguntase:
«La música, ¿qué es?» «Mozart», dirías,
«Es la música misma.» Sí, el cuerpo entero
De la armonía impalpable e invisible,
Pero del cual oímos su paso susurrante   5
De linfa, con el frescor que dan lunas y auroras,
En cascadas creciendo, en ríos caudalosos.

Desde la tierra mítica de Grecia
Llegó hasta el norte el soplo que la anima
Y en el norte halló eco, entre las voces   10
De poetas, filósofos y músicos: ciencia
Del ver, ciencia del saber, ciencia del oír. Mozart
Es la gloria de Europa, el ejemplo más alto
De la gloria del mundo, porque Europa es el mundo.

Cuando vivió, entreoído en las cortes,   15
Los palacios, donde príncipes y prelados
Poder, riqueza detentaban nulos,
Mozart entretenía, como siempre ocurre,
Como es fatal que ocurra al genio, aunque ya toque
A su cenit. Cuando murió, supieron todos: 20
Cómo admiran las gentes al genio una vez muerto.

II

De su tiempo es su genio, y del nuestro, y de
  siempre.
Nítido el tema, preciso el desarrollo,
Un ala y otra ala son, que reposadas
Por el círculo oscuro de los instrumentistas,   25
Arpa, violín, flauta, piano, luego a otro
Firmamento más glorioso y más fresco
Desplegasen súbitamente en música.

Toda razón su obra, pero sirviendo toda
Imaginación, en sí gracia y majestad une,   30
Ironía y pasión, hondura y ligereza.
Su arquitectura deshelada, formas líquidas
Da de esplendor inexplicable, y así traza
Vergeles encantados, mágicos alcázares,
Fluidos bajo un frío rielar de estrellas.   35

Su canto, la mocedad toda en él lo canta:
Ya mano que acaricia o ya garra que hiere,
Arrullo tierno en sarcasmo de sí mismo,
Es (como ante el ceño de la muerte
Los juegos del amor, el dulce monstruo rubio)   40
Burla de la pasión, que nunca halla respuesta,
Sabiendo su poder y su fracaso eterno.

En cualquier urbe oscura, donde amortaja el humo
Al sueño de un vivir urdido en la costumbre
Y el trabajo no da libertad ni esperanza,   45
Aún queda la sala del concierto, aún puede el
   hombre
Dejar que su mente humillada se ennoblezca
Con la armonía sin par, el arte inmaculado
De esta voz de la música que es Mozart.

Si de manos de Dios informe salió el mundo,   50
Trastornado su orden, su injusticia terrible;
Si la vida es abyecta y ruin el hombre,
Da esta música al mundo forma, orden, justicia,
Nobleza y hermosura. Su salvador entonces,
¿Quién es? Su redentor, ¿quién es entonces?   55
Ningún pecado en él, ni martirio, ni sangre.

Voz más divina que otra alguna, humana
Al mismo tiempo, podemos siempre oírla,
Dejarla que despierte sueños idos
Del ser que fuimos y al vivir matamos.   60
Sí, el hombre pasa, pero su voz perdura,
Nocturno ruiseñor o alondra mañanera,
Sonando en las ruinas del cielo de los dioses.

NIÑO TRAS UN CRISTAL

Al caer la tarde, absorto
Tras el cristal, el niño mira
Llover. La luz que se ha encendido
En un farol contrasta
La lluvia blanca con el aire oscuro.   5

La habitación a solas
Le envuelve tibiamente,
Y el visillo, velando
Sobre el cristal, como una nube,
Le susurra lunar encantamiento.   10

El colegio se aleja. Es ahora
La tregua, con el libro
De historias y de estampas
Bajo la lámpara, la noche,
El sueño, las horas sin medida.   15

Vive en el seno de su fuerza tierna,
Todavía sin deseo, sin memoria,
El niño, y sin presagio
Que afuera el tiempo aguarda
Con la vida, al acecho.   20

En su sombra ya se forma la perla.

DOSTOIEVSKI Y LA HERMOSURA FISICA

Alguna vez el viejo Goethe quiso
Discurrir sobre física hermosura,
Aunque no llegó a hacerlo. ¿Miedo acaso?

Alguien menos materialista (paradoja),
La hermosura moral representando,   5
Nos dejó de la física una imagen

Dialéctica: Falalei[1], el niño siervo
De hermosura inocente e insolente,
Que se anima si baila o masca azúcar.

Cómo vive su gracia, animalillo   10
Voluptuoso, bailando hasta rendirse
Con sus dientes tan blancos, ojos iluminados.

Dostoievski no puede ya decirnos
Si inventó a Falalei o lo encontró en la vida,
Si inventó la hermosura o supo verla.   15

Pero el mérito igual en ambos casos.

---

[1] *Falalei:* Personaje adolescente de la novela de Dostoievski *La alquería de Stepanchikovo y sus vecinos* (1859).

BIRDS IN THE NIGHT*

El gobierno francés, ¿o fue el gobierno inglés?,
  puso una lápida
En esa casa de 8 Great College Street, Camden
  Town, Londres,
Adonde en una habitación Rimbaud y Verlaine,
  rara pareja,
Vivieron, bebieron, trabajaron, fornicaron,
Durante algunas breves semanas tormentosas.   5

Al acto inaugural asistieron sin duda embajador y
  alcalde,
Todos aquellos que fueran enemigos de Verlaine y
  Rimbaud cuando vivían.

La casa es triste y pobre, como el barrio,
Con la tristeza sórdida que va con lo que es pobre,
No la tristeza funeral de lo que es rico sin espíritu.   10
Cuando la tarde cae, como en el tiempo de ellos,
Sobre su acera, húmedo y gris el aire, un organillo
Suena, y los vecinos, de vuelta del trabajo,
Bailan unos, los jóvenes, los otros van a la taberna.

Corta fue la amistad singular de Verlaine el borracho 15
Y de Rimbaud el golfo, querellándose largamente.
Mas podemos pensar que acaso un buen instante
Hubo para los dos, al menos si recordaba cada uno
Que dejaron atrás la madre inaguantable y la
  aburrida esposa.
Pero la libertad no es de este mundo, y los libertos,   20
En ruptura con todo, tuvieron que pagarla a precio
  alto.
Sí, estuvieron ahí, la lápida lo dice, tras el muro.

------

* Birds in the night: *Pájaros en la noche*. El poema se refiere a
la temporada en que Rimbaud y Verlaine vivieron juntos en Londres.

Presos de su destino: la amistad imposible, la
  amargura
De la separación, el escándalo luego; y para éste
El proceso, la cárcel por dos años, gracias a sus
  costumbres   25
Que sociedad y ley condenan, hoy al menos; para
  aquél a solas
Errar desde un rincón a otro de la tierra,
Huyendo a nuestro mundo y su progreso
  renombrado.

El silencio del uno y la locuacidad banal del otro
Se compensaron. Rimbaud rechazó la mano que
  oprimía   30
Su vida; Verlaine la besa, aceptando su castigo.
Uno arrastra en el cinto el oro que ha ganado; el otro
Lo malgasta en ajenjo y mujerzuelas. Pero ambos
En entredicho siempre de las autoridades, de la gente
Que con trabajo ajeno se enriquece y triunfa.   35

Entonces hasta la negra prostituta tenía derecho de
  insultarles;
Hoy, como el tiempo ha pasado, como pasa en el
  mundo,
Vida al margen de todo, sodomía, borrachera,
  versos escarnecidos,
Ya no importan en ellos, y Francia usa de ambos
  nombres y ambas obras
Para mayor gloria de Francia y su arte lógico.   40
Sus actos y sus pasos se investigan, dando al público
Detalles íntimos de sus vidas. Nadie se asusta
  ahora, ni protesta.

«¿Verlaine? Vaya, amigo mío, un sátiro, un
  verdadero sátiro
Cuando de la mujer se trata; bien normal era el
  hombre,
Igual que usted y que yo. ¿Rimbaud? Católico
  sincero, como esta demostrado.»   45

Y se recitan trozos del «Barco Ebrio» y del soneto
a las «Vocales».
Mas de Verlaine no se recita nada porque no
está de moda
Como el otro, del que se lanzan textos falsos en
edición de lujo;
Poetas mozos de todos los países hablan mucho de
él en sus provincias.

¿Oyen los muertos lo que los vivos dicen luego de
ellos?   50
Ojalá nada oigan: ha de ser un alivio ese silencio
interminable
Para aquellos que vivieron por la palabra y
murieron por ella,
Como Rimbaud y Verlaine. Pero el silencio allá no
evita
Acá la farsa elogiosa repugnante. Alguna vez deseó
uno
Que la humanidad tuviese una sola cabeza, para así
cortársela.   55
Tal vez exageraba: si fuera sólo una cucaracha, y
aplastarla.

NINFA Y PASTOR, POR TICIANO*

Lo que mueve al santo,
La renuncia del santo
(Niega tus deseos
Y hallarás entonces
Lo que tu corazón desea),   5
Son sobrehumanos. Ahí te inclinas, y pasas.
Porque algunos nacieron para santos
Y otros para ser hombres.

Acaso cerca de dejar la vida,
De nada arrepentido y siempre enamorado,   10
Y con pasión que no desmienta a la primera,
Quisieras, como aquel pintor viejo,
Una vez más representar la forma humana,
Hablando silencioso con ciencia ya admirable.

El cuadro aquel aún miras,   15
Ya no en su realidad, en la memoria;
La ninfa desnuda y reclinada
Y a su lado el pastor, absorto todo
De carnal hermosura.
El fondo neutro, insinuado   20
Por el pincel apenas.

La luz entera mana
Del cuerpo de la ninfa, que es el centro
Del lienzo, su razón y su gozo;
La huella creadora fresca en él todavía,   25
La huella de los dedos enamorados
Que, bajo su caricia, lo animaran
Con candor animal y con gracia terrestre.

---

* El cuadro de Tiziano, en el que se inspira Cernuda, se encuentra
en el Kunsthistorisches Museum de Viena, y que el poeta tuvo ocasión de contemplar en Nueva York en una exposición.

Desnuda y reclinada, contemplemos
Esa curva adorable, base de la espalda,   30
Donde el pintor se demoró, usando con ternura
Diestra, no el pincel, mas los dedos,
Con ahínco de amor y de trabajo
Que son un acto solo, la cifra de una vida
Perfecta al acabar, igual que el sol a veces   35
Demora su esplendor cercano del ocaso.

Y cuánto había amado, había vivido,
Había pintado cuando pintó ese cuerpo:
Cerca de los cien años prodigiosos;
Mas su fervor humano, agradecido al mundo,   40
Inocente aún era en él, como en el mozo
Destinado a ser hombre sólo y para siempre.

MÁLIBU*

Málibu,
Olas con lluvia.
Aire de música.

Málibu,
Agua cautiva.   5
Gruta marina.

Málibu,
Nombre de hada.
Fuerza encantada.

Málibu,   10
Viento que ulula.
Bosque de brujas.

Málibu,
Una palabra,
Y en ella, magia.   15

---

* *Málibu:* Playa de los Angeles, en California. En 1960, Cernuda
vuelve desde México a Estados Unidos, donde es contratado por la
Universidad de California en los Angeles.

DÍPTICO ESPAÑOL

A Carlos Otero

I

ES LÁSTIMA QUE FUERA MI TIERRA

Cuando allá dicen unos
Que mis versos nacieron
De la separación y la nostalgia
Por la que fue mi tierra,
¿Sólo la más remota oyen entre mis voces?   5
Hablan en el poeta voces varias:
Escuchemos su coro concertado,
Adonde la creída dominante
Es tan sólo una voz entre las otras.

Lo que el espíritu del hombre   10
Ganó para el espíritu del hombre
A través de los siglos,
Es patrimonio nuestro y es herencia
De los hombres futuros.
Al tolerar que nos lo nieguen   15
Y secuestren, el hombre entonces baja,
¿Y cuánto?, en esa escala dura
Que desde el animal llega hasta el hombre.

Así ocurre en tu tierra, la tierra de los muertos,
Adonde ahora todo nace muerto,   20
Vive muerto y muere muerto;
Pertinaz pesadilla: procesión ponderosa
Con restaurados restos y reliquias,
A la que dan escolta hábitos y uniformes,
En medio del silencio: todos mudos,   25
Desolados del desorden endémico
Que el temor, sin domarlo, así doblega.

La vida siempre obtiene
Revancha contra quienes la negaron:
La historia de mi tierra fue actuada   30
Por enemigos enconados de la vida.
El daño no es de ayer, ni tampoco de ahora,
Sino de siempre. Por eso es hoy
La existencia española, llegada al paroxismo,
Estúpida y cruel como su fiesta de los toros.   35

Un pueblo sin razón, adoctrinado desde antiguo
En creer que la razón de soberbia adolece
Y ante el cual se grita impune:
Muera la inteligencia, predestinado estaba
A acabar adorando las cadenas   40
Y que ese culto obsceno le trajese
Adonde hoy le vemos: en cadenas,
Sin alegría, libertad ni pensamiento.

Si yo soy español, lo soy
A la manera de aquellos que no pueden   45
Ser otra cosa: y entre todas las cargas
Que, al nacer yo, el destino pusiera
Sobre mí, ha sido ésa la más dura.
No he cambiado de tierra,
Porque no es posible a quien su lengua une,   50
Hasta la muerte, al menester de poesía.

La poesía habla en nosotros
La misma lengua con que hablaron antes,
Y mucho antes de nacer nosotros,
Las gentes en que hallara raíz nuestra existencia;   55
No es el poeta sólo quien ahí habla,
Sino las bocas mudas de los suyos
A quienes él da voz y les libera.

¿Puede cambiarse eso? Poeta alguno
Su tradición escoge, ni su tierra,   60
Ni tampoco su lengua; él las sirve,
Fielmente si es posible.

Mas la fidelidad más alta
Es para su conciencia: y yo a ésa sirvo
Pues, sirviéndola, así a la poesía   65
Al mismo tiempo sirvo.

Soy español sin ganas
Que vive como puede bien lejos de su tierra
Sin pesar ni nostalgia. He aprendido
El oficio de hombre duramente,   70
Por eso en él puse mi fe. Tanto que prefiero
No volver a una tierra cuya fe, si una tiene, dejó
    de ser la mía.
Cuyas maneras rara vez me fueron propias,
Cuyo recuerdo tan hostil se me ha vuelto
Y de la cual ausencia y tiempo me extrañaron.   75

No hablo para quienes una burla del destino
Compatriotas míos hiciera, sino que hablo a solas
(Quien habla a solas espera hablar a Dios un día)
O para aquellos pocos que me escuchen
Con bien dispuesto entendimiento.   80
Aquellos que como yo respeten
El albedrío libre humano
Disponiendo la vida que hoy es nuestra,
Diciendo el pensamiento al que alimenta nuestra vida.

¿Qué herencia sino ésa recibimos?   85
¿Qué herencia sino ésa dejaremos?

II

BIEN ESTÁ QUE FUERA TU TIERRA*

Su amigo, ¿desde cuándo lo fuiste?
¿Tenías once, diez años al descubrir sus libros?
Niño eras cuando un día
En el estante de los libros paternos
Hallaste aquéllos. Abriste uno   90
Y las estampas tu atención fijaron;
Las páginas a leer comenzaste
Curioso de la historia así ilustrada.

Y cruzaste el umbral de un mundo mágico,   95
La otra realidad que está tras ésta:
Gabriel, Inés, Amaranta,
Soledad, Salvador, Genara,
Con tantos personajes creados para siempre
Por su genio generoso y poderoso.   100
Que otra España componen,
Entraron en tu vida
Para no salir de ella ya sino contigo.

Más vivos que las otras criaturas
Junto a ti tan pálidas pasando,   105
Tu amor primero lo despertaron ellos;
Héroes amados en un mundo heroico,
La red de tu vivir entretejieron con la suya,
Aún más con la de aquellos tus hermanos,
Miss Fly, Santorcaz, Tilín, Lord Gray,   110
Que, insatisfechos siempre, contemplabas
Existir en la busca de un imposible sueño vivo.

---

* Los personajes que enumera Cernuda en este poema, pertenecen
a los *Episodios Nacionales* y a las *Novelas Contemporáneas* de Galdós.

El destino del niño ésos lo provocaron
Hasta que deseó ser como ellos.
Vivir igual que ellos   115
Y, como a Salvador, que le moviera
Idéntica razón, idéntica locura,
El seguir turbulento, devoto a sus propósitos,
En su tierra y afuera de su tierra,
Tantas quimeras desoladas   120
Con fe que a decepción nunca cedía.

Y tras el mundo de los Episodios
Luego el de las Novelas conociste;
Rosalía, Eloísa, Fortunata,
Mauricia, Federico Viera,   125
Martín Muriel, Moreno Isla,
Tantos que habrían de revelarte
El escondido drama de un vivir cotidiano:
La plácida existencia real y, bajo ella,
El humano tormento, la paradoja de estar vivo.   130

Los bien amados libros, releyéndolos
Cuántas veces, de niño, mozo y hombre,
Cada vez más en su secreto te adentrabas
Y los hallabas renovados
Como tu vida iba renovándose;   135
Con ojos nuevos los veías,
Como ibas viendo el mundo.
Qué pocos libros pueden
Nuevo alimento darnos
A cada estación nueva en nuestra vida.   140

En tu tierra y afuera de tu tierra
Siempre traían fielmente
El encanto de España, en ellos no perdido,
Aunque en tu tierra misma no lo hallaras.
El nombre allí leído de un lugar, de una calle   145
(Portillo de Gilimón o Sal si Puedes),
Provocaba en ti la nostalgia
De la patria imposible, que no es de este mundo.

El nombre de ciudad, de barrio o pueblo,
Por todo el español espacio soleado   150
(Puerta de Tierra, Plaza de Santa Cruz, los
Arapiles, Cádiz, Toledo, Aranjuez, Gerona),
Dicho por él, siempre traía,
Conocido por ti el lugar o desconocido,
Una doble visión: imaginada y contemplada,   155
Ambas hermosas, ambas entrañables.

Hoy, cuando a tu tierra ya no necesitas,
Aún en estos libros te es querida y necesaria,
Más real y entresoñada que la otra:
No ésa, mas aquélla es hoy tu tierra.   160
La que Galdós a conocer te diese,
Como él tolerante de lealtad contraria,
Según la tradición generosa de Cervantes,
Heroica viviendo, heroica luchando
Por el futuro que era el suyo.   165
No el siniestro pasado donde a la otra han vuelto.

La real para ti no es esa España obscena y
  deprimente
En la que regentea hoy la canalla,
Sino esta España viva y siempre noble
Que Galdós en sus libros ha creado,   170
De aquélla nos consuela y cura ésta.

J. R. J. CONTEMPLA EL CREPÚSCULO*

«Señor, el crepúsculo», anunciaba
Puntual a la tarde la doncella
Entrando en el salón de Mr Ruskin[1],
Algún tiempo después de consumido
El té. Y entonces Mr Ruskin   5
Iba al jardín.

A J. R. J.

La doncella no anunciaba el crepúsculo
Ni poseía jardín donde observarlo.
Mas iba a los cristales
De su balcón y, corrido el visillo,   10
Desde allí contemplaba.

El crepúsculo nórdico, lento, exige
A su contemplador una atención asidua,
Velando nuestro fuego originario
(Para Heráclito la sustancia primera),   15
En su proceso, con celajes y visos
Delicados, cambiantes.

Al fin el ave fabulosa
Partía al hemisferio
Sombroso ahora, tras de sí dejando   20
De su retorno una costumbre.
Y la noche ancestral le sucedía
No contemplada ya por J. R. J.

---

* Se refiere a Juan Ramón Jiménez.

[1] *John Ruskin*. Pensador y escritor inglés (1819-1900). A los catorce años ya conocía casi todas las capitales de Europa, las cuales le inspiraron para realizar los opúsculos titulados *Cartas familiares,* dirigiéndose a los obreros de Inglaterra. Su interés por el arte, fomentado con un viaje por Italia, se manifestó en 1841 con la publicación de un ensayo sobre Turner. En los quince años siguientes escribió la mayor parte de los volúmenes de *Pintores modernos, Las siete lámparas de la Arquitectura* y *Las piedras de Venecia.*

OTRA VEZ, CON SENTIMIENTO*

Ya no creí que más invocaría
De tu amistad antigua la memoria,
Que de ti se adueñó toda una tribu
Extraña para mí y para ti no menos
Extraña acaso.

             Mas uno de esa tribu,   5
Profesor y, según pretenden él y otros
De por allá (cuánto ha caído nuestra tierra),
Poeta, te ha llamado «mi príncipe».
Y me pregunto qué hiciste tú para que ése
Pueda considerarte como príncipe suyo.   10

¿Vaciedad académica? La vaciedad común resulta
En sus escritos. Mas su rapto retórico
No aclara a nuestro entendimiento
Lo secreto en tu obra, aunque también le llamen
Crítico de la poesía nuestra contemporánea.   15

La apropiación de ti, que nada suyo
Fuiste o quisiste ser mientras vivías,
Es lo que ahí despierta mi extrañeza.
¿Príncipe tú de un sapo? ¿No les basta
A tus compatriotas haberte asesinado?   20

Ahora la estupidez sucede al crimen.

---

* El poema es una evocación de la amistad con Federico García
Lorca, al mismo tiempo que hace una dura e injusta crítica contra
Dámaso Alonso.

DOS DE NOVIEMBRE

Las campanas hoy
Ominosas suenan.
Aún temprano, el aire,
Frío acero, llega

Por tu sangre adentro.   5
Recuerdas los tuyos
Idos este años
Dejándote único.

Ahora tú sostienes
Solo la memoria: 10
El hogar remoto,
Familiares sombras,

Todo destinado
Contigo al olvido.
El azul del cielo   15
Promete, tan limpio,

Aire tibio luego.
Y por el mercado,
Donde están las flores
En copiosos ramos,   20

Un olor respiras,
Olor, mas no aroma,
A tierra, a hermosura
Que, antigua, conforta.

A pesar del tiempo,   25
Al alma, en la vida,
Materia y sentidos
Como siempre alivian.

LUIS DE BAVIERA ESCUCHA *LOHENGRIN**

Sólo dos tonos rompen la penumbra:
Destellar de algún oro y estridencia granate.
Al fondo luce la caverna mágica
Donde unas criaturas, ¿de qué naturaleza?, pasan
Melodiosas, manando de sus voces música   5
Que, con fuente escondida, lenta fluye
O, crespa luego, su caudal agita
Estremeciendo el aire fulvo de la cueva
Y con iris perlado riela en notas.

Sombras la sala de auditorio nulo.   10
En el palco real un elfo solo asiste
Al festejo del cual razón parece dar y enigma:
Negro pelo, ojos sombríos que contemplan
La gruta luminosa, en pasmo friolento
Esculpido. La pelliza de martas le agasaja   15
Abierta a una blancura, a seda que se anuda en
     lazo.
Los ojos entornados eschuchan, beben la melodía
Como una tierra seca absorbe el don del agua.

Asiste a doble fiesta: una exterior, aquella
De que es testigo; otra interior allá en su mente, 20
Donde ambas se funden (como color y forma
Se funden en un cuerpo), componen una misma delicia.

---

* Luis II de Baviera (1845-1886), hijo de Maximiliano II, a quien sucedió en 1868. Fue gran entusiasta y mecenas de Wagner. En 1886 ocupó la regencia el príncipe Luitpoldo, y el rey, atacado de locura, se ahogó en el lago Starnberg. *Lohengrin:* En la leyenda medieval de Alemania, uno de los héroes del ciclo del Graal. Hijo de Parsifal y caballero del Santo Graal, llegó a Amberes a bordo de una pequeña nave, arrastrada por un cisne, a rescatar a Elsa, hija del duque de Bramante. Vencido su enemigo, se casó con Elsa, la cual no debía preguntar a su marido de dónde había venido. Después de algunos años de matrimonio, Elsa no pudo contener por más tiempo su curiosidad y preguntó a Lohengrin por su origen, y al persuadirse de que Elsa había faltado a su promesa, el cisne se lo llevó de nuevo. Wagner se inspiró en esta leyenda para su ópera *Lohengrin.*

Así, razón y enigma, el poder le permite
A solas escuchar las voces a su orden concertadas,
El brotar melodioso que le acuna y nutre   25
Los sueños, mientras la escena desarrolla,
Ascua litúrgica, una amada leyenda.

Ni existe el mundo, ni la presencia humana
Interrumpe el encanto de reinar en sueños.
Pero, mañana, chambelán, consejero, ministro,   30
Volverán con demandas estúpidas al rey:
Que gobierne por fin, les oiga y les atienda.
¿Gobernar? ¿Quién gobierna en el mundo de los
    sueños?
¿Cuándo llegará el día en que gobiernen los lacayos?
Se interpondrá un biombo, benéfico, entre el rey
    y sus ministros,   35
Un elfo corre libre los bosques, bebe el aire.

Esa es su vida, y trata fielmente de vivirla:
Que le dejen vivirla. No en la ciudad, el nido
Ya está sobre las cimas nevadas de las sierras
Más altas de su reino. Carretela, trineo,   40
Por las sendas; flotilla nívea, por los ríos y lagos,
Le esperan siempre, prestos a levantarle
Adonde vive su reino verdadero, que no es de este
    mundo:
Donde el sueño le espera, donde la soledad le
    aguarda.
Donde la soledad y el sueño le ciñen su única
    corona.   45

Mas la presencia humana es a veces encanto,
Encanto imperioso que el rey mismo conoce
Y sufre con tormento inefable: el bisel de una boca,
Unos ojos profundos, una piel soleada,
Gracia de un cuerpo joven. Él lo conoce,   50
Sí, lo ha conocido, y cuántas veces padecido,
El imperio que ejerce la criatura joven,
Obrando sobre él, dejándole indefenso,
Ya no rey, sino siervo de la humana hermosura.

Flotando sobre música el sueño ahora se encarna: 55
Mancebo todo blanco, rubio, hermoso, que llega
Hacia él y que es él mismo. ¿Magia o espejismo?
¿Es posible a la música dar forma, ser forma de
    mortal alguno?
¿Cuál de los dos es él, o no es él, acaso, ambos?
El rey no puede, ni aun pudiendo quiere dividirse
    a sí del otro.   60
Sobre la música inclinado, como extraño contempla
Con emoción gemela su imagen desdoblada
Y en éxtasis de amor y melodía queda suspenso.

Él es el otro, desconocido hermano cuyo existir
    jamás creyera
Ver algún día. Ahora ahí está y en él ya ama   65
Aquello que en él mismo pretendieron amar otros.
Con su canto le llama y le seduce. Pero, ¿Puede
Consigo mismo unirse? Teme que, si respira, el
    sueño escape.
Luego un terror le invade: ¿no muere aquel que ve
    a su doble?
La fuerza del amor, bien despierto ya en él, alza
    su escudo   70
Contra todo temor, debilidad, desconfianza.
Como Elsa, ama, mas sin saber a quién. Sólo sabe
    que ama.

En el canto, palabra y movimiento de los labios
Del otro le habla también el canto, palabra y
    movimiento
Que a brotar de sus labios al mismo tiempo iban,   75
Saludando al hermano nacido de su sueño, nutrido
    por su sueño.
Mas no, no es eso: es la música quien nutriera
    a su sueño, le dio forma.
Su sangre se apresura en sus venas, al tiempo
    apresurando:
El pasado, tan breve, revive en el presente,
Con luz de dioses su presente ilumina al futuro.   80

Todo, todo ha de ser como su sueño le presagia.
En el vivir del otro el suyo certidumbre encuentra.
Sólo el amor depara al rey razón para estar vivo,
Olvido a su impotencia, saciedad al deseo
Vago y disperso que tanto tiempo le aquejara.   85
Se inclina y se contempla en la corriente
Melodiosa e, imagen ajenada, su remedio espera
Al trastorno profundo que dentro de sí siente.
¿No le basta que exista, fuera de él, lo amado?
Contemplar a lo hermoso, ¿no es respuesta bastante? 90

Los dioses escucharon, y su deseo satisfacen
(Que los dioses castigan concediendo a los hombres
Lo que éstos les piden), y el destino del rey,
Desearse a sí mismo, le transforma,
Como en flor, en cosa hermosa, inerme, inoperante,   95
Hasta acabar su vida gobernado por lacayos,
Pero teniendo en ellos, al morir, la venganza de un
    rey.
Las sombras de sus sueños para él eran la verdad
    de la vida.
No fue de nadie, ni a nadie pudo llamar suyo.

Ahora el rey está ahí, en su palco, y solitario escucha, 100
Joven y hermoso, como dios nimbado
Por esa gracia pura e intocable del mancebo,
Existiendo en el sueño imposible de una vida
Que queda sólo en música y que es como música,
Fundido con el mito al contemplarlo, forma ya de
    ese mito   105
De pureza rebelde que tierra apenas toca,
Del éter huésped desterrado. La melodía le ayuda
    a conocerse,
A enamorarse de lo que él mismo es. Y para siempre
    en la música vive.

DESOLACION DE LA QUIMERA*

Todo el ardor del día, acumulado
En asfixiante vaho, el arenal despide.
Sobre el azul tan claro de la noche
Contrasta, como imposible gotear de un agua,
El helado fulgor de las estrellas,   5
Orgulloso cortejo junto a la nueva luna
Que, alta ya, desdeñosa ilumina
Restos de bestias en medio de un osario.
En la distancia aúllan los chacales.

No hay agua, fronda, matorral ni césped.   10
En su lleno esplendor mira la luna
A la Quimera lamentable, piedra corroída
En su desierto. Como muñón, deshecha el ala;
Los pechos y las garras el tiempo ha mutilado;
Hueco de la nariz desvanecida y cabellera,   15
En un tiempo anillada, albergue son ahora
De las aves obscenas que se nutren
En la desolación, la muerte.

Cuando la luz lunar alcanza
A la Quimera, animarse parece en un sollozo,   20
Una queja que viene, no de la ruina,
De los siglos en ella enraizados, inmortales
Llorando el no poder morir, como mueren las formas
Que el hombre procreara. Morir es duro,
Mas no poder morir, si todo muere,   25
Es más duro quizá. La Quimera susurra hacia la
    luna
Y tan dulce es su voz que a la desolación alivia.

_____

* Este poema tiene el mismo título del libro al que pertenece.
Dicho título procede de T. S. Eliot, de su obra *Cuatro cuartetos*.
Cernuda debió de inspirarse en los siguientes versos del primer cuarteto:

> The word in the desert
> Is most attacked by voices of temptation
> The crying shadow in the funeral dance,
> The lovd lament of the disconsolate chimera.

«Sin víctimas ni amantes. ¿Dónde fueron los
   hombres?
Ya no creen en mí, y los enigmas que yo les
   propusiera
Insolubles, como la Esfinge, mi rival y hermana,   30
Ya no les tientan. Lo divino subsiste,
Proteico y multiforme, aunque mueran los dioses.
Por eso vive en mí este afán que no pasa,
Aunque pasó mi forma, aunque ni sombra soy;
Afán que se concreta en ver rendido al hombre   35
Temeroso ante mí, ante mi tentador secreto
   indescifrable.

«Como animal domado por el látigo,
El hombre. Pero, qué hermoso; su fuerza y su
   hermosura,
Oh dioses, cuán cautivadoras. Delicia hay en el
   hombre;
Cuando el hombre es hermoso, en él cuánta delicia.   40
Siglos pasaron ya desde que desertara el hombre
De mí y a mis secretos desdeñoso olvidara.
Y bien que algunos pocos a mí acudan,
Los poetas, ningún encanto encuentro en ellos,
Cuando apenas les tienta mi secreto ni en ellos veo
   hermosura.   45

«Flacos o fláccidos, sin cabellos, con lentes,
Desdentados. Esa es la parte física
En mi tardío servidor; y, semejante a ella,
Su carácter. Aún así, no muchos buscan mi secreto
   hoy,
Que en la mujer encuentran su personal triste
   Quimera.   50
Y bien está ese olvido, porque ante mí no acudan
Tras de cambiar pañales al infante
O enjugarle nariz, mientras meditan
Reproche o alabanza de algún crítico.

«¿Es que pueden creer en ser poetas   55
Si ya no tienen el poder, la locura
Para creer en mí y en mi secreto?
Mejor les va sillón en academia
Que la aridez, la ruina y la muerte,
Recompensas que generosa di a mis víctimas.   60
Una vez ya tomada posesión de sus almas,
Cuando el hombre y el poeta preferían
Un miraje cruel a certeza burguesa.

«Bien otros fueron para mí los tiempos
Cuando feliz, ligera, hollaba el laberinto   65
Donde a tantos perdí y a tantos otros los dotaba
De mi eterna locura: imaginar dichoso, sueños de
    futuro,
Esperanzas de amor, periplos soleados.
Mas, si prudente, estrangulaba al hombre
Con mis garras potentes, que un grano de locura   70
Sal de la vida es. A fuerza de haber sido,
Promesas para el hombre ya no tengo.»

Su reflejo la luna deslizando
Sobre la arena sorda del desierto,
Entre sombras a la Quimera deja,   75
Calla en su dulce voz la música cautiva.
Y como el mar en la resaca, al retirarse
Deja a la playa desnuda de su magia,
Retirado el encanto de la voz, queda el desierto
Todavía más inhóspito, sus dunas   80
Ciegas y opacas, sin el miraje antiguo.

Muda y en sombra, parece la Quimera retraerse
A la noche ancestral del Caos primero;
Mas ni dioses, ni hombres, ni sus obras,
Se anulan si una vez son: existir deben   85
Hasta el amargo fin, perdiéndose en el polvo.
Inmóvil, triste, la Quimera sin nariz olfatea
Frescor de alba naciente, alba de otra jornada
Que no habrá de traerle piadosa la muerte,
Sino que su existir desolado prolongue todavía.   90

PEREGRINO

¿Volver? Vuelva el que tenga,
Tras largos años, tras un largo viaje,
Cansancio del camino y la codicia
De su tierra, su casa, sus amigos,
Del amor que al regreso fiel le espere.   5

Mas, ¿tú? ¿Volver? Regresar no piensas,
Sino seguir libre adelante,
Disponible por siempre, mozo o viejo,
Sin hijo que te busque, como a Ulises,
Sin Itaca que aguarde y sin Penélope.   10

Sigue, sigue adelante y no regreses,
Fiel hasta el fin del camino y tu vida,
No eches de menos un destino más fácil,
Tus pies sobre la tierra antes no hollada,
Tus ojos frente a lo antes nunca visto.   15

DESPEDIDA

Muchachos
Que nunca fuisteis compañeros de mi vida,
Adiós.
Muchachos
Que no seréis nunca compañeros de mi vida,   5
Adiós.

El tiempo de una vida nos separa
Infranqueable:
A un lado la juventud libre y risueña;
A otro la vejez humillante e inhóspita.   10

De joven no sabía
Ver la hermosura, codiciarla, poseerla;
De viejo la he aprendido
Y veo a la hermosura, mas la codicio inútilmente.

Mano de viejo mancha   15
El cuerpo juvenil si intenta acariciarlo.
Con solitaria dignidad el viejo debe
Pasar de largo junto a la tentación tardía.

Frescos y codiciables son los labios besados,
Labios nunca besados más codiciables y frescos
   aparecen.   20
¿Qué remedio, amigos? ¿Qué remedio?
Bien lo sé: no lo hay.

Qué dulce hubiera sido
En vuestra compañía vivir un tiempo:
Bañarse juntos en aguas de una playa caliente,   25
Compartir bebida y alimento en una mesa.
Sonreír, conversar, pasearse
Mirando cerca, en vuestros ojos, esa luz y esa
   música.

Seguid, seguid así, tan descuidadamente,
Atrayendo al amor, atrayendo al deseo.   30
No cuidéis de la herida que la hermosura vuestra y
    vuestra gracia abren
En este transeúnte inmune en apariencia a ellas.

Adiós, adiós, manojos de gracias y donaires.
Que yo pronto he de irme, confiado,
Adonde, anudado el roto hilo, diga y haga   35
Lo que aquí falta, lo que a tiempo decir y hacer
    aquí no supe.

Adiós, adiós, compañeros imposibles.
Que ya tan sólo aprendo
A morir, deseando
Veros de nuevo, hermosos igualmente   40
En alguna otra vida.

LUNA LLENA EN SEMANA SANTA*

Denso, suave, el aire
Orea tantas callejas,
Plazuelas, cuya alma
Es la flor del naranjo.

Resuenan cerca, lejos,   5
Clarines masculinos
Aquí, allí la flauta
Y oboe femeninos.

Mágica por el cielo
La luna fulge, llena   10
Luna de parasceve[1].
Azahar, luna, música,

Entrelazados, bañan
La ciudad toda. Y breve
Tu mente la contiene   15
En sí, como una mano

Amorosa. ¿Nostalgias?
No. Lo que así recreas
Es el tiempo sin tiempo
Del niño, los instintos   20

Aprendiendo la vida
Dichosamente, como
La planta nueva aprende
En suelo amigo. Eco

---

* El poema es una nostálgica evocación de la Semana Santa sevillana.
[1] *Parasceve:* Cultismo de origen griego para designar el Viernes Santo.

Que, a la doble distancia,   25
Generoso hoy te vuelve,
En leyenda, a tu origen.
Et in Arcadia ego[2].

---

[2] *Et in Arcadia ego,* «Y yo en la Arcadia»: Para ver el profundo sentido del último verso de este poema, ver el prólogo de Philip Silver a la *Antología poética de Luis Cernuda,* publicada en Alianza Editorial, Madrid, 1975.

A SUS PAISANOS

No me queréis, lo sé, y que os molesta
Cuanto escribo. ¿Os molesta? Os ofende.
¿Culpa mía tal vez o es de vosotros?
Porque no es la persona y su leyenda
Lo que ahí, allegados a mí, atrás os vuelve.   5
Mozo, bien mozo era, cuando no había brotado
Leyenda alguna, caísteis sobre un libro[1]
Primerizo lo mismo que su autor: yo, mi primer libro.
Algo os ofende, porque sí, en el hombre y su tarea.

¿Mi leyenda dije? Tristes cuentos   10
Inventados de mí por cuatro amigos
(¿Amigos?), que jamás quisisteis
Ni ocasión buscasteis de ver si acomodaban
A la persona misma así traspuesta.
Mas vuestra mala fe los ha aceptado.   15
Hecha está la leyenda, y vosotros, de mí desconocidos,
Respecto al ser que encubre mintiendo doblemente,
Sin otro escrúpulo, a vuestra vez la propaláis.

Contra vosotros y esa vuestra ignorancia voluntaria,
Vivo aún, sé y puedo, si así quiero, defenderme.   20
Pero aguardáis al día cuando ya no me encuentre
Aquí. Y entonces la ignorancia,
La indiferencia y el olvido, vuestras armas
De siempre, sobre mí caerán, como la piedra,
Cubriéndome por fin, lo mismo que cubristeis   25
A otros que, superiores a mí, esa ignorancia vuestra
Precipitó en la nada, como al gran Aldana[2].

---

[1] Se refiere a su primer libro *Perfil del aire,* publicado en 1927,
y que luego, al ser incluido en *La Realidad y el Deseo,* cambiará su
título por el de *Primeras poesías.* Para ver la problemática en torno a
Perfil del aire, ver en *Prosa completa, El crítico, el amigo y el poeta,*
pág. 878, e *Historial de un libro,* pág. 898.
[2] Francisco de Aldana (1537-1578). Tiene una biografía heroica de
militar y político: asiste a la campaña de Harlem, en Flandes, acon-

De ahí mi paradoja, por lo demás involuntaria,
Pues la imponéis vosotros: en nuestra lengua
   escribo,
Criado estuve en ella y, por eso, es la mía,   30
A mi pesar quizá, bien fatalmente. Pero con mis
   expresas excepciones,
A vuestros escritores de hoy ya no los leo.
De ahí la paradoja: soy, sin tierra y sin gente,
Escritor bien extraño; sujeto quedo aún más que otros
Al viento del olvido que, cuando sopla, mata.   35

Si vuestra lengua es la materia
Que empleé en mi escribir y, si por eso,
Habréis de ser vosotros los testigos
De mi existencia y su trabajo,
En hora mala fuera vuestra lengua   40
La mía, la que hablo, la que escribo.
Así podréis, con tiempo, como venís haciendo,
A mi persona y mi trabajo echar afuera
De la memoria, en vuestro corazón y vuestra mente.

Grande es mi vanidad, diréis,   45
Creyendo a mi trabajo digno de la atención ajena
Y acusándoos de no querer la vuestra darle.
Ahí tendréis razón. Mas el trabajo humano
Con amor hecho, merece la atención de los otros,
Y poetas de ahí tácitos lo dicen   50
Enviando sus versos a través del tiempo y la distancia
Hasta mí, atención demandando.
¿Quise de mí dejar memoria? Perdón por ello pido.

seja al rey de Portugal, don Sebastián, sobre la desdichada expedi-
ción a Marruecos, y muere al lado de dicho rey en el desastre de Al-
cazarquivir, en 1578. Sus poesías fueron recogidas y publicadas por
su hermano Cosme. La obra conservada del poeta nos la presenta
con varias facetas. Al lado de la poesía heroica, figuran composiciones de tipo amoroso. Sin embargo, la mayor parte de su producción
la componen poemas de tipo religioso, ascético, meditativo, de una gran
calidad de sentimiento. *La epístola a Arias Montano* es prueba de
ello. En esta vertiente de su lírica es donde alcanzó lo más logrado
de su inspiración.

Mas no todos igual trato me dais,
Que amigos tengo aún entre vosotros,   55
Doblemente queridos por esa desusada
Simpatía y atención entre la indiferencia,
Y gracias quiero darles ahora, cuando amargo
Me vuelvo y os acuso. Grande el número
No es, mas basta para sentirse acompañado   60
A la distancia en el camino. A ellos
Vaya así mi afecto agradecido.

Acaso encuentre aquí reproche nuevo:
Que ya no hablo con aquella ternura
Confiada, apacible de otros días.   65
Es verdad, y os lo debo, tanto como
A la edad, al tiempo, a la experiencia.
A vosotros y a ellos debo el cambio. Si queréis
Que ame todavía, devolvedme
Al tiempo del amor. ¿Os es posible?   70
Imposible como aplacar ese fantasma que de mí
   evocasteis.

Ocnos
(1940-1963)

Las manos de Luis Cernuda con su libro *Ocnos*, por Gregorio Prieto.

LA POESÍA

En ocasiones, raramente, solía encenderse el salón al atardecer, y el sonido del piano llenaba la casa, acogiéndome cuando yo llegaba al pie de la escalera de mármol hueca y resonante, mientras el resplandor vago de la luz que se deslizaba allá arriba en la galería, me aparecía como un cuerpo impalpable, cálido y dorado, cuya alma fuese la música.

¿Era la música? ¿Era lo inusitado? Ambas sensaciones, la de la música y la de lo inusitado, se unían dejando en mí una huella que el tiempo no ha podido borrar. Entreví entonces la existencia de una realidad diferente de la percibida a diario, y ya oscuramente sentía cómo no bastaba a esa otra realidad el ser diferente, sino que algo alado y divino debía acompañarla y aureolarla, tal el nimbo trémulo que rodea un punto luminoso.

Así, en el sueño inconsciente del alma infantil, apareció ya el poder mágico que consuela de la vida, y desde entonces así lo veo flotar ante mis ojos: tal aquel resplandor vago que yo veía dibujarse en la oscuridad, sacudiendo con su ala palpitante las notas cristalinas y puras de la melodía.

LA NATURALEZA

Le gustaba al niño ir siguiendo paciente, día tras día, el brotar oscuro de las plantas y de sus flores. La aparición de una hoja, plegada aún y apenas visible su verde traslúcido junto al tallo donde ayer no estaba, le llenaba de asombro, y con ojos atentos, durante largo rato, quería sorprender su movimiento, su crecimiento invisible, tal otros quieren sorprender, en el vuelo, cómo mueve las alas el pájaro.

Tomar un renuevo tierno de la planta adulta y sembrarlo aparte, con mano que él deseaba de aire blando y suave, los cuidados que entonces requería, mantenerlo a la sombra los primeros días, regar su sed inexperta a la mañana y al atardecer en tiempo caluroso, le embebecían de esperanza desinteresada.

Qué alegría cuando veía las hojas romper al fin, y su color tierno, que a fuerza de trasparencia casi parecía luminoso, acusando en relieve las venas, oscurecerse poco a poco con la savia más fuerte. Sentía como si él mismo hubiese obrado el milagro de dar vida, de despertar sobre la tierra fundamental, tal un dios, la forma antes dormida en el sueño de lo inexistente.

EL OTOÑO

Encanto de tus otoños infantiles, seducción de una época del año que es la tuya, porque en ella has nacido.

La atmósfera del verano, densa hasta entonces, se aligeraba y adquiría una acuidad a través de la cual los sonidos eran casi dolorosos, punzando la carne como la espina de una flor. Caían las primeras lluvias a mediados de septiembre, anunciándolas el trueno y el súbito nublarse del cielo, con un chocar acerado de aguas libres contra prisiones de cristal. La voz de la madre decía: «Que descorran la vela»[1], y tras aquel quejido agudo (semejante al de las golondrinas cuando revolaban por el cielo azul sobre el patio), que levantaba el toldo al plegarse en los alambres de donde colgaba, la lluvia entraba dentro de la casa, moviendo ligera sus pies de plata con rumor rítmico sobre las losas de mármol.

De las hojas mojadas, de la tierra húmeda, brotaba entonces un aroma delicioso, y el agua de la lluvia recogida en el hueco de tu mano tenía el sabor de aquel aroma, siendo tal la sustancia de donde aquél emanaba, oscuro y penetrante, como el de un pétalo ajado de magnolia. Te parecía volver a una dulce costumbre desde lo extraño y distante. Y por la noche, ya en la cama, encogías tu cuerpo, sintiéndolo joven, ligero y puro, en torno de tu alma, fundido con ella, hecho alma también él mismo.

---

[1] *Vela:* Toldo muy usado en los patios de las casas andaluzas, durante el verano, para dar sombra.

EL PIANO

Pared frontera de tu casa vivía la familia de aquel pianista, quien siempre ausente por tierras lejanas, en ciudades a cuyos nombres tu imaginación ponía un halo mágico, alguna vez regresaba por unas semanas a su país y a los suyos. Aunque no aprendieras su vuelta por haberle visto cruzar la calle, con su aire vagamente extranjero y demasiado artista, el piano al anochecer te lo decía.

Por los corredores ibas hacia la habitación a través de cuya pared él estudiaba, y allí solo y a oscuras, profundamente atraído más sin saber por qué, escuchabas aquellas frases lánguidas, de tan penetrante melancolía, que llamaban y hablaban a tu alma infantil, evocándole un pasado y un futuro igualmente desconocidos.

Años después otras veces oíste los mismos sones, reconociéndolos y adscribiéndolos ya a tal músico de ti amado, pero aún te parecía subsistir en ellos, bajo el renombre de su autor, la vastedad, la expectación de una latente fuerza elemental que aguarda un gesto divino, el cual, dándole forma, ha de hacerla brotar bajo la luz.

El niño no atiende a los nombres sino a los actos, y en éstos al poder que los determina. Lo que en la sombra solitaria de una habitación te llamaba desde el muro, y te dejaba anhelante y nostálgico cuando el piano callaba, era la música fundamental, anterior y superior a quienes la descubren e interpretan, como la fuente de quien el río y aun el mar sólo son formas tangibles y limitadas.

EL TIEMPO

Llega un momento en la vida cuando el tiempo nos alcanza. (No sé si expreso esto bien.) Quiero decir que a partir de tal edad nos vemos sujetos al tiempo y obligados a contar con él, como si alguna colérica visión con espada centelleante nos arrojara del paraíso primero, donde todo hombre una vez ha vivido libre del aguijón de la muerte. ¡Años de niñez en que el tiempo no existe! Un día, unas horas son entonces cifra de la eternidad. ¿Cuántos siglos caben en las horas de un niño?

Recuerdo aquel rincón del patio en la casa natal, yo a solas y sentado en el primer peldaño de la escalera de mármol. La vela[1] estaba echada, sumiendo el ambiente en una fresca penumbra, y sobre la lona, por donde se filtraba tamizada la luz del mediodía, una estrella destacaba sus seis puntas de paño rojo. Subían hasta los balcones abiertos, por el hueco del patio, las hojas anchas de las latanias, de un verde oscuro y brillante, y abajo, en torno de la fuente, estaban agrupadas las matas floridas de adelfas y azaleas. Sonaba el agua al caer con un ritmo igual, adormecedor, y allá en el fondo del agua unos peces escarlata nadaban con inquieto movimiento, centelleando sus escamas en un relámpago de oro. Disuelta en el ambiente había una languidez que lentamente iba invadiendo mi cuerpo.

Allí, en el absoluto silencio estival, subrayado por el rumor del agua, los ojos abiertos a una clara penumbra que realzaba la vida misteriosa de las cosas, he visto cómo las horas quedaban inmóviles, suspensas en el aire, tal la nube que oculta un dios, puras y aéreas, sin pasar.

---

[1] Véase la nota al poema de *Ocnos,* «El otoño».

EL POETA Y LOS MITOS

Bien temprano en la vida, antes que leyeses versos algunos, cayó en tus manos un libro de mitología. Aquellas páginas te revelaron un mundo donde la poesía, vivificándolo como la llama al leño, trasmutaba lo real. Qué triste te apareció entonces tu propia religión. Tú no discutías ésta, ni la ponías en duda, cosa difícil para un niño; mas en tus creencias hondas y arraigadas se insinuó, si no una objeción racional, el presentimiento de una alegría ausente. ¿Por qué se te enseñaba a doblegar la cabeza ante el sufrimiento divinizado, cuando en otro tiempo los hombres fueron tan felices como para adorar, en su plenitud trágica, la hermosura?

Que tú no comprendieras entonces la casualidad profunda que une ciertos mitos con ciertas formas intemporales de la vida, poco importa: cualquier aspiración que haya en ti hacia la poesía, aquellos mitos helénicos fueron quienes la provocaron y la orientaron. Aunque al lado no tuvieses alguien para advertirte del riesgo que así corrías, guiando la vida, instintivamente, conforme a una realidad invisible para la mayoría, y a la nostalgia de una armonía espiritual y corpórea rota y desterrada siglos atrás de entre las gentes.

LA CATEDRAL Y EL RÍO

Ir al atardecer a la catedral, cuando la gran nave armoniosa, honda y resonante, se adormecía tendidos sus brazos en cruz. Entre el altar mayor y el coro, una alfombra de terciopelo rojo y sordo absorbía el rumor de los pasos. Todo estaba sumido en penumbra, aunque la luz, penetrando aún por las vidrieras, dejara suspendida allá en la altura su cálida aureola. Cayendo de la bóveda como una catarata, el gran retablo era sólo una confusión de oros perdidos en la sombra. Y tras de las rejas, desde un lienzo oscuro como un sueño, emergían en alguna capilla blanca formas enérgicas y extáticas.

Comenzaba el órgano a preludiar vagamente, dilatándose luego su melodía hasta llenar las naves de voces poderosas, resonantes con el imperio de las trompetas que han de convocar a las almas en el día del juicio. Mas luego volvía a amansarse, depuesta su fuerza como una espada, y alentaba amoroso, descansando sobre el abismo de su cólera.

Por el coro se adelantaban silenciosamente, atravesando la nave hasta llegar a la escalinata del altar mayor, los oficiantes cubiertos de pesadas dalmáticas, precedidos de los monaguillos, niños de faz murillesca, vestidos de rojo y blanco, que conducían ciriales encendidos. Y tras ellos caminaban los seises[1], con su traje azul y plata, destocado el sombrerillo de plumas, que al llegar ante el altar colocarían sobre sus cabezas, iniciando entonces unos pasos de baile, entre seguirilla y minué, mientras en sus manos infantiles repicaban ligeras unas castañuelas.

* * *

---

[1] *Seises:* Niños que cantan y danzan, ante el Santísimo en la Catedral de Sevilla, durante las fiestas de la Purísima y el Corpus.

Ir al atardecer junto al río de agua luminosa y tranquila, cuando el sol se iba poniendo entre leves cirros morados que orlaban la línea pura del horizonte. Siguiendo con rumbo contrario al agua, pasada ya la blanca fachada hermosamente clásica de la Caridad, unos murallones ocultaban la estación, el humo, el ruido, la fiebre de los hombres. Luego, en soledad de nuevo, el río era tan verde y misterioso como un espejo, copiando el cielo vasto, las acacias en flor, el declive arcilloso de las márgenes.

Unas risas juveniles turbaban el silencio, y allá en la orilla opuesta rasgaba el aire un relámpago seguido de un chapoteo del agua. Desnudos entre los troncos de la orilla, los cuerpos ágiles con un reflejo de bronce verde apenas oscurecido por el vello suave de la pubertad, unos muchachos estaban bañándose.

Se oía el silbido de un tren, el piar de un bando de golondrinas; luego otra vez renacía el silencio. La luz iba dejando vacío el cielo, sin perder éste apenas su color, claro como el de una turquesa. Y el croar irónico de las ranas llegaba a punto, para cortar la exaltación que en el alma levantaban la calma del lugar, la gracia de la juventud y la hermosura de la hora.

JARDÍN ANTIGUO

Se atravesaba primero un largo corredor oscuro. Al fondo, a través de un arco, aparecía la luz del jardín, una luz cuyo dorado resplandor teñían de verde las hojas y el agua de un estanque. Y ésta, al salir afuera, encerrada allá tras la baranda de hierro, brillaba como líquida esmeralda, densa, serena y misteriosa.

Luego estaba la escalera, junto a cuyos peldaños había dos altos magnolios, escondiendo entre sus ramas alguna estatua vieja a quien servía de pedestal una columna. Al pie de la escalera comenzaban las terrazas del jardín.

Siguiendo los senderos de ladrillos rosáceos, a través de una cancela y unos escalones, se sucedían los patinillos solitarios, con mirtos y adelfas en torno de una fuente musgosa, y junto a la fuente el tronco de un ciprés cuya copa se hundía en el aire luminoso.

En el silencio circundante, toda aquella hermosura se animaba con un latido recóndito, como si el corazón de las gentes desaparecidas que un día gozaron del jardín palpitara al acecho tras de las espesas ramas. El rumor inquieto del agua fingía como unos pasos que se alejaran.

Era el cielo de un azul límpido y puro, glorioso de luz y de calor. Entre las copas de las palmeras, más allá de las azoteas y galerías blancas que coronaban el jardín, una torre gris y ocre se erguía esbelta como el cáliz de una flor.

* * *

Hay destinos humanos ligados con un lugar o con un paisaje. Allí en aquel jardín, sentado al borde de una fuente, soñaste un día la vida como embeleso inagotable. La amplitud del cielo te acuciaba a la acción; el alentar de las flores, las hojas y las aguas, a gozar sin remordimientos.

Más tarde habías de comprender que ni la acción ni el goce podrías vivirlos con la perfección que tenían en tus sueños al borde de la fuente. Y el día que comprendiste esa triste verdad, aunque estabas lejos y en tierra extraña, deseaste volver a aquel jardín y sentarte de nuevo al borde de la fuente, para soñar otra vez la juventud pasada.

EL MAGNOLIO

Se entraba a la calle por un arco. Era estrecha, tanto que quien iba por en medio de ella, al extender a los lados sus brazos, podía tocar ambos muros. Luego, tras una cancela, iba sesgada a perderse en el dédalo de otras callejas y plazoletas que componían aquel barrio antiguo. Al fondo de la calle sólo había una puertecilla siempre cerrada, y parecía como si la única salida fuera por encima de las casas, hacia el cielo de un ardiente azul.

En un recodo de la calle estaba el balcón, al que se podía trepar, sin esfuerzo casi, desde el suelo; y al lado suyo, sobre las tapias del jardín, brotaba cubriéndolo todo con sus ramas el inmenso magnolio. Entre las hojas brillantes y agudas se posaban en primavera, con ese sutil misterio de lo virgen, los copos nevados de sus flores.

Aquel magnolio fue siempre para mí algo más que una hermosa realidad: en él se cifraba la imagen de la vida. Aunque a veces la deseara de otro modo, más libre, más en la corriente de los seres y de las cosas, yo sabía que era precisamente aquel apartado vivir del árbol, aquel florecer sin testigos, quienes daban a la hermosura tan alta calidad. Su propio ardor lo consumía, y brotaba en la soledad unas puras flores, como sacrificio inaceptado ante el altar de un dios.

SOMBRAS

Era rubio y fino —con cara de niño, agregaría, si no recordara en sus ojos azules aquella mirada de mal humor de quien ha probado la vida y le supo amarga. En su bocamanga, rojo como una herida fresca, llevaba un galón de cabo, ganado en Marruecos, de donde venía.

Estaba encima de un carro, descargando las doradas pacas de paja para los caballos, que impacientes allá dentro, albergados como monstruos plutónicos bajo enormes bóvedas oscuras, herían con sus cascos las piedras y agitaban las cadenas que los ataban al pesebre.

Su aire distante y ensimismado, en lo humilde de la tarea, recordaba al joven héroe de algún relato oriental, que desterrado del palacio familiar donde tantos esclavos velaban para cumplir sus menores deseos, sabe doblegarse al trabajo de aquéllos, sin perder por eso su gracia imperiosa.

* * *

Pasaba al atardecer, la redonda y breve cabeza cubierta de cortos rizos negros, en la boca fresca esbozada una burlona sonrisa. Su cuerpo ágil y fuerte, de porte cadencioso, traía a la memoria el Hermes de Praxíteles: un Hermes que sostuviera en su brazo curvado contra la cintura, en vez del infante Dionisos, una enorme sandía, toda veteada de blanco la verde piel oscura.

* * *

Aquellos seres cuya hermosura admiramos un día, ¿dónde están? Caídos, manchados, vencidos, si no muertos. Mas la eterna maravilla de la juventud sigue en pie, y al contemplar un nuevo cuerpo joven, a veces cierta semejanza despierta un eco, un dejo del otro que antes amamos. Sólo al recordar que entre uno y otro median veinte años, que este ser no había nacido aún cuando el primero llevaba ya encendida la antorcha inextinguible que de mano en mano se pasan las generaciones, un impotente dolor nos asalta, comprendiendo, tras la persistencia de la hermosura, la mutabilidad de los cuerpos. ¡Ah, tiempo, tiempo cruel, que para tentarnos con la fresca rosa de hoy destruiste la dulce rosa de ayer!

LA LUZ

Cuando aquellas mañanas tu cuerpo se tendía desnudo bajo el cielo, una fuerza conjunta, etérea y animal, sutilización y exaltación de la pesadez humana por virtud de la luz, iba penetrándole con violencia irresistible. Con su presencia se acallaban los poderes elementales de que el cuerpo es cifra, el agua, el aire, la tierra, el fuego, abrazados entonces en proporción y armonía perfectas. Toda forma parecía recogerse bajo el nombre y todo nombre suscitar la forma, con aquella exactitud prístina de una creación: lo exterior y lo interior se correspondían y ajustaban como entre los amantes el deseo del uno a la entrega del otro. Y tu cuerpo escuchaba la luz.

Si algo puede atestiguar en esta tierra la existencia de un poder divino, es la luz; y un instinto remoto lleva al hombre a reconocer por ella esa divinidad posible, aunque el fundamental sosiego que la luz difunde traiga consigo angustia fundamental equivalente, ya que en definitiva la muerte aparece entonces como la privación de la luz.

Mas siendo Dios la luz, el conocimiento imperfecto de ella que a través del cuerpo obtiene el espíritu en esta vida, ¿no ha de perfeccionarse en Dios a través de la muerte? Como los objetos puestos al fuego se consumen, transformándose en llama ellos mismos, así el cuerpo en la muerte, para transformarse en luz e incorporarse a la luz que es Dios, donde no habrá ya alteración de luz y sombra, sino luz total e infalible. Y cuando así no sea, aun tu cuerpo desnudo al sol de esta tierra recogió y atesoró por su seno oscuro, en consolación desesperada, partículas suficientes de aquella divinidad ilusoria, hasta iluminar con ellas la muerte, si ésta ha de ser para el hombre definitiva.

Variaciones sobre tema
mexicano
(1949-1950)

LA LENGUA

—Tras de cruzada la frontera, al oír tu lengua, que tantos años no oías hablada en torno, ¿qué sentiste?

—Sentí cómo sin interrupción continuaba mi vida en ella por el mundo exterior, ya que por el interior no había dejado de sonar en mí todos aquellos años.

* * *

La lengua que hablaron nuestras gentes antes de nacer nosotros de ellos, ésa de que nos servimos para conocer el mundo y tomar posesión de las cosas por medio de sus nombres, importante como es en la vida de todo ser humano, aún lo es más en la del poeta. Porque la lengua del poeta no sólo es materia de su trabajo sino condición misma de su existencia.

Y si la primera palabra que pronunciaron tus labios era española, y española será la última que de ellos salga, determinadas precisa y fatalmente por esas dos palabras, primera y postrera, están todas las de tu poesía. Que la poesía, en definitiva, es la palabra.

* * *

¿Cómo no sentir orgullo al escuchar hablada nuestra lengua, eco fiel de ella y al mismo tiempo expresión autónoma, por otros pueblos al otro lado del mundo? Ellos, a sabiendas o no, quiéranlo o no, con esos mismos signos de su alma, que son las palabras, mantienen vivo el destino de nuestro país, y habrían de mantenerlo aun después que él dejara de existir.

Al lado de ese destino, cuán estrecho, cuán perecedero parecen los de las otras lenguas. Y qué gratitud no puede sentir el artesano oscuro, vivo en ti, de esta lengua hoy tuya, a quienes cuatro siglos atrás, con la pluma y la espada, ganaron para ella destino universal. Porque el poeta no puede conseguir para su lengua ese destino si no le asiste el héroe, ni éste si no le asiste el poeta.

LO NUESTRO

Apenas pasada la frontera, en el primer pueblo desastrado y polvoriento, donde viste aquellos niños pidiendo limosna, aquellas mozas con trajes y velos negros, comenzaron a despertar en ti, penosos, los recuerdos. Recuerdos de tu tierra, también pobre y también grave. Y te sentiste tentado de volver a cruzar, sin más, al otro lado de la frontera.

El primer contacto con aquel ambiente, que es tu ambiente, fue difícil después de tantos años. Sólo veías ya su desolación y su miseria, contra las cuales querías protegerte negando cuantas posibilidades, a pesar de todo, pudieran surgir tras ellas. Mas sobrepasado el primer movimiento de rencor atávico, comenzaste a entrever, a recobrar algo bien distinto.

Aquella tierra estaba viva. Y entonces comprendiste todo el valor de esa palabra y su entero significado, porque casi te habías olvidado de que estabas vivo. Acaso el precio de estar vivo sea esa pobreza y duelo que veías en torno; acaso la vida exija, para estar viva, ese abono ruin de miseria y tristeza, entre las cuales ella, como una flor, crece acrisolada. ¿Sofismas? Nada quedaba allá de la trivialidad y el vacío de la vida en las tierras de donde venías.

¿Riqueza a costa del espíritu? ¿Espíritu a costa de la miseria? Ambos, espíritu y riqueza, parece imposible reunirlos. Mas no eres tú, ni acaso nadie, quien ahí pueda decidir. Piensa sólo, si lo que te importa es el espíritu, adónde debes inclinar tu simpatía. Aunque sin tu decisión racional, ya aquélla, sin vacilar un momento, se te va instintivamente a un lado. Oh gente mía, mía con toda su pobreza y su desolación, tan viva, tan entrañablemente viva.

LA ACERA

De anochecida te llevaban unos amigos por la acera de aquella calle, donde pulquerías y teatrillos orillaban un lado, y el otro tenderetes en que se vendían fritangas. En medio iba el fluir agolpado de los cuerpos, muchos aguardando propicios una seña para reunirse al deseo de más íntimo contacto. Por bocacalles oscuras, que surgían de vez en vez, se adivinaban también, con más baja calidad, las mismas tentaciones y los mismos riesgos.

Entre el alumbrado suficiente de la calle te sorprendió la portada *a giorno* de una tienda, todavía abierta a aquella hora, sin parecer de lejos casa de comida ni taberna. Llegado a su altura, tras el portal deslumbrante, viste de pronto pilas de ataúdes, sin forrar aún sus costados metálicos, a espera, ellos también, de consumidores.

Como un son de trompa final entre la turbamulta de los cuerpos, no podías decidir de aquella contigüidad extraña, que una ironía más que humana parecía acordar con la vitalidad circundante. Más tarde, al ver entre los juguetes infantiles allí acostumbrados, y como uno de tantos, una muerte a caballo, delicado trabajo que denotaba en su artífice anónimo el instinto de una tradición, comenzaste a comprender.

El niño entre cuyas manos la representación de la muerte fue un juguete, debe crecer con una mejor aceptación de ella, estoico ante su costumbre inevitable, buen hijo de una tierra más viva acaso que otra ninguna, pero tras de cuya vida la muerte no está escondida ni indignamente disfrazada, sino reconocida ella también como parte de la vida, o la vida, más certeramente quizá, como parte indistinta de ella.

MERCADERES DE LA FLOR

Los protestantes, que cubren el mundo de fábricas y en ellas consumen sus vidas (productivamente, según parece), cómo se reirán de estas gentes que sólo cultivan en su pedazo de tierra unas flores. De pie o en cuclillas, al borde del camino, ellas envueltas por sus rebozos, ellos cobijados por sus anchos sombreros de paja, un ramillete de rosas o claveles en cada mano y otros de reserva en latas por tierra, aguardan, aguardan siempre.

Escasos son los coches que pasan, más escasos quizá de los necesarios para que cada uno entre los del grupo, suponiendo que le compren sus flores, pueda reunir siquiera unas pobres monedas cotidianas. Pero allá siguen, día tras día, y cuando al fin su ocasión les llega, cercan el coche sin competencia, en sus manos la hermosísima oferta, forma, color, perfume, del ramillete.

Bajo el ala del sombrero, en una de esas caras frescas que apenas han dejado de ser infantiles, qué intensidad tiene la mirada. Los labios guardan silencio, pero cuántas cosas dicen los ojos, y qué bien las dicen. ¿Comprenderían allí los industriales protestantes que la pobreza puede ser vocación orgullosa e intransigente? ¿Cómo existe gente de la que ni siquiera puede decirse que prefieren ser de los últimos, porque para ellos no hay últimos ni primeros?

Apenas compradas las flores, quisiéramos dejarlas, con las monedas, en aquellas manos. El dinero, como alivio mínimo de la necesidad; las flores, como tributo insuficiente a la dignidad de sus vidas, a la gracia de sus cuerpos, a la elocuencia de sus caras. Que la hermosura alimenta, y sin ella, como sin pan, también puede acabarse el hombre.

EL PUEBLO

Esta gente, estos indios taciturnos, en su pobreza, en su abandono, ¿son tan desgraciados como tu compasión y remordimiento humanos creen? Ante ellos, como ante otra gente de otro pueblo distante, el tuyo, nace igual tu simpatía. ¿Y por qué esa simpatía instintiva tuya hacia la gente del pueblo? Insiste ahí, aclarando: hacia lo que de singular puede haber en cada criatura de ésas, más que hacia el amontonamiento indistinto y democrático de ellas.

El ambiente en que te criaste, clase media provinciana, entre sus más o menos infundadas pretensiones tenía la de sentirse diferente del pueblo, sin acentuar ahí tanto, acaso, una relativa superioridad como, pura y simplemente, una diferencia. Más tarde, al crecer y sobrepasar tu ambiente familiar, sus costumbres, maneras y preferencias adquiridas y propias, no aminoró, sino que se acrecentó aquella sentida diferencia inicial. Pero el insistente sentimiento de diferencia no pudo impedir en ti la percepción, entre el pueblo y tú, de una equivalencia en fortuna.

Porque al fin y al cabo tú, igual que el pueblo, carecías de ella. Si por tu medio nativo tuviste ciertos privilegios, también tuviste ciertos deberes. Mas los privilegios eran ficticios y los deberes reales; es decir, que sin conocer la holgura conocías sus exigencias. A veces casi lo agradeciste al sino, creyendo como crees que la abundancia daña. La pobreza puede engendrar brutalidad, pero la riqueza tontería; y váyase lo uno por lo otro. ¿Habrá pues en tu simpatía hacia la gente del pueblo, bajo el sentimiento artificial de diferencia, otro real de afinidad? Entre el pueblo y tú, no te engañes, percibes un espacio difícil de salvar.

Difícil, excepto para la simpatía. Así, ¿de dónde nace ésta? ¿Qué la dicta? Porque la compasión sola no es. Cuando le deseas mejor suerte, sabes también que el pueblo, al ganar en situación, suele perder lo que de noble había en él; es ya otra clase media, pero peor, sin aquellas aspiraciones, risibles acaso, dictadas por una anticuada idealidad que no puede improvisarse. ¿Entonces?

Esto que en ti simpatiza con la gente del pueblo es lo que de animal hay en ti: el cuerpo, el elemento titánico de la vida, que ya tarde tanto poder alcanzó sobre ti, y según el cual muchas veces te sentiste, no sólo igual, sino hasta inferior al pueblo. Porque el espíritu, excepto en cuanto el cuerpo puede arrastrarlo (y en ti puede mucho), apenas tiene ahí parte. En ti, cuando el cuerpo, lo titánico, habla, tu espíritu, lo dionisíaco, si no otorga, lo más que puede hacer es callar.

Verdad es que la poesía también se escribe con el cuerpo.

PERDIENDO EL TIEMPO

La plaza, hay que reconocerlo, es informe; la fuente, hay que reconocerlo, es absurda. Pero la noche, el aire, los árboles, son benévolos e inclinan tu ánimo a la benevolencia. Así que, sentado, pasas el tiempo, aunque el que queda es poco. Una dejadez, contagio del calor, de la oscuridad, de los cuerpos que rondan en torno, te invade sin resistencia de tu parte.

Cerca hay dos chamacos; uno sentado, como tú, pero leyendo o haciendo que lee un periódico; otro tendido, su cabeza descansando entre los muslos de su camarada. El lector, cuya camisa desabrochada cuelga a la espalda, deja el periódico para estirarse, acariciando su torso desnudo. El dormido sigue durmiendo o pretende seguir durmiendo.

El soplo nocturno del trópico descansa sobre la piel, oreándola. Te sientes flotar, ligero, inconsistente. Sólo los sentidos velan, y con ellos el cuerpo; pero éste vela sin insistencia, no con el entrometimiento acostumbrado, queriendo y exigiendo. Y aunque tú, que le conoces de antiguo, sospeches irónicamente de su templanza, él pretende que con un beso se daría por contento esta noche.

OCIO

Sentado en esta terraza, cuya bóveda le da apariencia de claustro, pasado el jardín en declive, pasado el camino que lo bordea, miras la bahía. Es temprano en la mañana, y apenas hace calor. Afuera, tras uno de los arcos, cae desde la altura una delgada fronda constelada de flores escarlata, que cubre el horizonte y al mismo tiempo, como sutil colgadura, lo trasluce. ¿Qué árbol es ése? Es un árbol tropical, que nunca habías visto. (Acuérdate de preguntar su nombre.)

Rumor distante de voces te hace atender abajo: con lentos ademanes, negro torso desnudo, calzón blanco, sombrero de paja, unos hombres trabajan en el camino. ¿Trabajan? Aquí tu conciencia parece de pronto sobresaltarse. ¿Trabajo? En este ambiente todo es, o parece ser, tan gratuito, que la idea de trabajo instintivamente quedaba excluida. Veamos. Llegaste ayer y te vas mañana. ¿Vale la pena de recapitular ahora este olvido tuyo instintivo del trabajo y ese sobresalto tuyo instintivo al recordarlo?

Veamos. El mundo sensual, marino, soleado, donde por unas horas crees vivir, ¿es real? ¿No es un sueño inconcluso de tu juventud, que todavía persigues a lo largo de la vida? Aunque ese mundo fuera real, ¿sería el tuyo propio? Bien está hacer el amor, nadar, solearse, pero ¿podrías vivir así el resto del tiempo? Sé lo que vas a decir, ese mundo, sea o no real, es bastante. No hacer nada es para ti actividad bastante.

Este clima, entre otras ventajas, tiene la de indicar con más evidencia cuanto la vanidad y el aburrimiento contribuyen al exceso de actividad humana. Para vivir, ¿es necesario atarearse tanto? Si el hombre fuera capaz de estarse quieto en su habitación por un cuarto de hora. Pero no: tiene que hacer esto, y aquello, y lo otro, y lo de más allá. Entretanto, ¿quién se toma el trabajo de vivir? ¿De vivir por vivir? ¿De vivir por el gusto de estar vivo, y nada más? Bueno. Deja ahí el soliloquio y echa una mirada en torno.

Mirar. Mirar. ¿Es esto ocio? ¿Quién mira el mundo? ¿Quién lo mira con mirada desinteresada? Acaso el poeta, y nadie más. En otra ocasión has dicho que la poesía es la palabra. ¿Y la mirada? ¿No es la mirada poesía? Que la naturaleza gusta de ocultarse, y hay que sorprenderla, mirándola largamente, apasionadamente. La mirada es un ala, la palabra es otra ala del ave imposible. Al menos mirada y palabra hacen al poeta. Ahí tienes el trabajo que es tu ocio: quehacer de mirar y luego quehacer de esperar el advenimiento de la palabra.

Ahora levántate y marcha a la playa. Por esta mañana ya has trabajado casi suficientemente en tu ocio.

373

LA POSESIÓN

El cuerpo no quiere deshacerse sin antes haberse consumado. Y ¿cómo se consuma el cuerpo? La inteligencia no sabe decírselo, aunque sea ella quien más claramente conciba esa ambición del cuerpo, que éste sólo vislumbra. El cuerpo no sabe sino que está aislado, terriblemente aislado, mientras que frente a él, unida, entera, la creación está llamándole.

Sus formas, percibidas por el cuerpo a través de los sentidos, con la atracción honda que suscitan (colores, sonidos, olores), despiertan en el cuerpo un instinto de que también él es parte de ese admirable mundo sensual, pero que está desunido y fuera de él, no en él. ¡Entrar en ese mundo, del cual es parte aislada, fundirse con él!

Mas para fundirse con el mundo no tiene el cuerpo los medios del espíritu, que puede poseerlo todo sin poseerlo o como si no lo poseyera. El cuerpo únicamente puede poseer las cosas, y eso sólo un momento, por el contacto de ellas. Así, al dejar éstas su huella sobre él, conoce el cuerpo las cosas.

No se lo reprochemos: el cuerpo, siendo lo que es, tiene que hacer lo que hace, tiene que querer lo que quiere. ¿Vencerlo? ¿Dominarlo? Cuán pronto se dice eso. El cuerpo advierte que sólo somos él por un tiempo, y que también él tiene que realizarse a su manera, para lo cual necesita nuestra ayuda. Pobre cuerpo, inocente animal tan calumniado; tratar de bestiales sus impulsos, cuando la bestialidad es cosa del espíritu.

Aquella tierra estaba frente a ti, y tú inerme frente a ella. Su atracción era precisamente del orden necesario a tu naturaleza: todo en ella se conformaba a tu deseo. Un instinto de fusión con ella, de absorción en ella, urgían tu ser, tanto más cuanto que la precaria vislumbre sólo te era concedida por un momento. Y

¿cómo subsistir y hacer subsistir al cuerpo con memorias inmateriales?

En un abrazo sentiste tu ser fundirse con aquella tierra; a través de un terso cuerpo oscuro, oscuro como penumbra, terso como fruto, alcanzaste la unión con aquella tierra que lo había creado. Y podrás olvidarlo todo, todo menos ese contacto de la mano sobre un cuerpo, memoria donde parece latir, secreto y profundo, el pulso mismo de la vida.

EL REGRESO

Casi un año a pasado, y otra vez te encuentras en esta tierra. Otra vez contempla tu mirada, bajo la transparencia del aire, la severidad del suelo: llanura igual, cuya desnudez no encubren, sino que subrayan, el nopal, la pita, el maguey. Frente a ti, y al fondo, los montes, que precisa ascender. Otra vez estás en una tierra cuyo ritmo y acento se acuerdan con aquellos de la tuya ausente, con los tuyos entrañables.

¿No los escuchas? Confundidos unos y otros, ¿no parecen sonar en tus oídos tras el eco de aquella joven voz varonil, que acompañándose de la guitarra, al cruzar la frontera, oíste cantando en un barracón de la aduana? La anchura de los muros, la altura del techo, henchían el volumen de la voz, revelando y subrayando, como la ampliación fotográfica de un detalle inadvertido a simple vista, cuanto de enérgico y delicado, de salvaje y de culto había en la tonada.

Casi no crees a tus sentidos. ¿Estás realmente aquí? ¿No es en tu imaginación donde ves a esta tierra? Su recuerdo y su imagen te acompañaron y te sostuvieron durante tantos meses sin virtud, largos, interminables meses de invierno, de tedio, de desolación y vacío, que apenas puedes creerte de veras en ella. Qué extraño es el amor, y cómo brota inesperado, arrastrando tras de sí la voluntad y todo el ser, con razones sólo de él percibidas, en un impulso hondo y único.

Sí, ahí lo tienes, frente a tus ojos, al objeto de tu amor: míralo, que pocas veces halagó a tu mirada la vista de lo que has amado. Esta llanura, este cielo, este aire te envuelven y te absorben, anonadándote en ellos. El amor ya no está sólo dentro, ahogándote con su vastedad, sino fuera de ti, visible y tangible; y tú eres al fin parte de él, respirándolo libremente. Piensas que es bueno estar vivo, que es bueno haber vivido. Toda tu alegría, todo tu fervor recrean en tu alma el sentimiento de lo divino. Y das gracias a Dios, que ha preservado tu vida hasta este único instante deseado.

Índice de poemas

Índice

DATE DUE

OCT 1 2012			
GAYLORD			PRINTED IN U.S.A.